KB170254

이미 어쩔 수 없는 힘듦이
내게 찾아왔다면

일러두기

저자 고유의 글맛을 살리기 위해 어법은 저자 고유의 스타일을 따릅니다.

이미 어쩔 수 없는 힘듦이 내게 찾아왔다면

글배우 지음

이미 어쩔 수 없는 힘듦이 내게 찾아왔다면

당신에게 어쩔 수 없는 힘듦이 찾아왔다면

받아들이기 힘든 힘듦이 찾아왔다면

자책과 함께 시간을 보내며
괴로운 마음으로 힘들어하고 있을 거라 생각합니다.

아무도 당신만큼 당신의 힘듦을 알지 못하기에
아무도 당신만큼 당신의 답답함을 이해하지 못하기에
지금 이 시간은 외로운 시간이 되기도 합니다.

어쩔 수 없는 힘듦이 내게 찾아왔다면
자신을 더 힘들게 하지 않았으면 좋겠습니다.
그건 아픔에서 당장 일어서야 한다는 생각입니다.
아픔에서 당장 일어설 수 있는 방법이 있거나
노력을 통해 좋아질 수 있다면
벗어나기 위해 충분히 노력하겠지만
지금 찾아온 어쩔 수 없는 힘듦은 이미 노력한 뒤에

할 수 있는 방법을 다 해 본 뒤에
당장은 좋아질 수 없다는 걸 깨닫고 찾아온 힘듦일 테니까요.

그러니 지금은 아픔을 당장 극복하려 하지 말고
아픔을 잠시 받아들여 보면 좋겠습니다.

열매가 맺어질 때도 있지만
열매가 떨어질 때도 있고
열매를 맺기 위해 기다려야 할 때도 있습니다.

어쩌면 원했던 예쁜 열매의 순간이 맺어지지 않은 지금은
희망을 포기해야 할 때가 아니라
앞으로 열릴 열매의 순간을 기다려야 될 때일지 모릅니다.

하지만 그 기다림이 힘들 거라 생각합니다.
아픈 일을 겪을 때마다 홀로 아파했던 사람은
힘든 일을 겪으면 모두 자신의 탓으로 돌리며 자책하기에

지금은 나를 힘들게 하는 자책을
멈출 수 있었으면 좋겠습니다.

과거의 후회되는 행동을 계속 생각하며 자책하는 일과
지금 힘든 마음에서 괜찮아지지 못한다고 자책하는 일을

자책을 멈춘다고 당장 마음이 괜찮아지지는 않겠지만

아픔이 시간을 따라
당신 곁을 지나갈 수 있게
계속 자책하며 아픔을 잡고 있지 않았으면 좋겠습니다.

오늘 하루만큼은 가장 예쁜 옷을 입고
가장 좋은 곳에 가서 맛있는 음식을 먹으며
매일 바라본 아픔에서 잠시 벗어나
매일 아파해 온 나를
따뜻하게 바라볼 수 있었으면 좋겠습니다.

오늘 하루만큼은 그동안 매일 아파해온 나를
가엾게 바라봐 줄 수 있었으면 좋겠습니다.

그동안 얼마나 힘들었는지.
그런다고 당장 다시 일어설 수 있게 되는 건 아니겠지만

다시 일어설 수 있을 때까지 그때까지
당신이 당신을 잘 보살펴 줄 수 있었으면 좋겠습니다.

이미 어쩔 수 없는 힘듦이 찾아왔다면

어느 날 예고 없이 힘듦이 찾아왔다면

또 어느 날 예고 없이
힘듦이 당신 곁을 떠나갈 거라 믿습니다.

그때까지 너무 슬퍼 마세요.
그때까지 너무 자책 마세요.

차례

이미 어쩔 수 없는 힘듦이 내게 찾아왔다면

마음처럼 안되는 순간을 만나 불안하고 힘들다면 • 12
나를 위한 시간 • 48
불빛프로젝트 • 49
가능성 • 56
짜증이 많아진 당신 • 59
나를 불행하게 만드는 집착과 착각 • 66
그동안 사는 게 숨 막혔다면 • 80
당장은 이겨낼 수 없더라도 • 82
슬퍼하는 아이를 만났다면 • 86
많은 고통이 너를 아프게 할 것이다 • 88
심각한 무기력의 상태 • 92
연락 • 96
우울함 • 103
변하지 않는 사실 • 104
자유로운 삶 •106
나를 힘들게 하는 것에서 벗어나지 못하는 이유 • 108
어떤 사람을 만나면 좋을까 • 115
잘해주고 자주 상처받는 사람 • 126
인생 • 141
최고의 강연가에게 물었다 • 144
감정 기복에서 벗어나는 방법 • 145

예민해지면 힘든 이유 • 152
줄 수 있는 만큼 주는 것이 사랑 • 157
이해 • 159
죄의식 • 160
지금을 사세요 • 166
감정 기복이 심한 사람 곁에 있으면 • 170
잘 참는 사람 • 175
어두운 감정이 찾아온 당신께 • 181
무언가를 잘하는 방법 • 188
열심히 해야 할 때 • 196
용기 • 202
봄이 • 206

힘들 때일수록

잠을 충분히 자라

많이 걸으면서 생각해라

참을 수 없는 걸 너무 오래 참지 마라

우리는 어쩌다 뜨는 무지개를 보며
가끔 행복하기 위해 사는 것이 아니다

흐리기도 하고 비도 오고 해가 뜨기도 하는 여러 날 속에서
조금 더 자주 행복하기 위해 살아가는 것이다

어쩌다 좋은 일이 오기를 기다리지 말고
지금 이 순간 내가 좋아하는 삶을 선택해 나아가야 한다

여러 날 속에서 더 행복한 순간을 만날 수 있게

마음처럼 안되는 순간을 만나 불안하고 힘들다면

살다 보면 마음처럼 안되는 순간을 만나게 됩니다.

이별하거나 취업이 잘 안 되거나 시험에 떨어지거나
꿈을 이루기 어렵거나
사랑하는 사람이 내가 원하는 대로 행동해 주지 않거나
사랑하는 가족이 힘들어하거나
반대로 가족이 나를 힘들게 하거나
주위 사람들과 관계가 틀어지거나
자주 봐야 하는 사람에게 서운하고 화가 나거나

하는 일이 잘 안되거나
실수하거나
연애에 실패하거나
지난 일이 후회되거나
선택해야 하는데 선택을 못 하거나

너무 많습니다.

마음처럼 되지 않는 상황에서
우리는 아래와 같은 감정에 빠지게 됩니다.

원하는 상황을 만나지 못한 지금이 우울하고 즐겁지 않으며
시간이 조금 더 지나면 불안해집니다.
불안한 마음속에서 시간이 지나도 원하는 상황이 안되면
두려운 마음이 생깁니다.

그러다 상황이 내가 원하는 대로 조금 풀리는 것 같으면
금세 기분이 좋아졌다가 원하는 대로 되지 않는 것 같으면
금세 마음이 무너집니다.
감정 기복이 심해지게 됩니다.

우리는 마주한 문제를 해결하기 위해
충분한 노력을 한 뒤에도
문제가 개선되지 않는다고 느끼면 자책하게 됩니다.
과거에 다르게 행동했으면 지금의 후회는 없었을 테고

지금보다 자신이 원하는 상황에 조금 더 가깝지 않았을까
생각하는 것입니다.
그리고 과거에 그렇게 하지 못한 자신을 자책합니다.

원치 않은 상황을 만난 지금 이 순간에 계속 자책하다 보면
자신을 믿지 못하게 되고 또 실패할까 봐
지금, 문제에서 어떻게 할지 다음을 선택하지 못한 채
제자리에서 계속 힘들어합니다.

그리고 지금이 힘들수록 우리는
내 상황이 마음에 들지 않는 지금
내가 바라는 상황을 가진 타인의 삶과 나를 비교하고
스스로 위축됩니다.
그럼 그동안의 인생이 꼭 잘못 살아온 것 같아
슬프기도 하고 지칩니다.
무기력해집니다.

상황이 좋아지길 바라며
애쓰고 고민하고 노력하고 걱정하고 염려했는데
점점 상황이 안 좋아지는 것 같으면
어차피 힘을 내도 달라질 게 없다는 생각에
무기력해지는 것입니다.

이렇게 원치 않은 상황을 만났고
내가 원하는 대로 되지 않을 때
우리는 위와 같은 마음이 듭니다.

그러나 같은 상황이어도

훨씬 더 아파하고
훨씬 더 지치고
훨씬 더 오래 생각하고
훨씬 더 깊게 슬퍼하며
훨씬 더 불안해하고

훨씬 더 오래 자책하고
힘들어하는 사람이 있습니다.

똑같은 사건이어도
누군가에게는 그 정도로 오랫동안 신경 쓸 일이 아니지만
힘이 든다고 해도 누군가에게는 그 정도로 오랫동안 힘들어
할 일이 아니지만

누군가는 정말 오랫동안 힘들어하고
정말 오랫동안 온 신경을 다 써서 생각하느라
주어진 자신의 인생을 제대로 살아가지 못하게 됩니다.

비슷한 사건을 만나 후회를 해도
누구는 금방 털고 일어나지만
누군가는 몇 년 동안 힘들어합니다.

그 이유는 내가 원하는 상황이 있는데 그렇게 되지 않을 때

크게 불안해하고 힘들어하는 '성향' 의
사람이어서 그렇습니다.

그런 사람은 삶을 살아가면서
내 마음처럼 되지 않는 순간을 만나면
훨씬 더 불안해하고 훨씬 더 힘들어하게 됩니다.
그래서 자책과 힘듦에 빠지게 되면
쉽게 벗어나지 못하고 오랫동안 괴로워합니다.

내가 원하는 상황이 있는데 그렇게 되지 않을 때
즉 내 마음처럼 되지 않았을 때
크게 불안해하고 힘들어하는 '성향'의 사람을
바로 '예민한 사람'이라고 합니다.

예민한 사람은 두 가지 특징이 있습니다.

1. 자신이 원하는 상황이 있지만 원하는 상황이 되지 않을 때

또는 스스로가 원하는 모습이 있는데 그 모습이 되지 못할 때
크게 불안해하고 초조해하며 힘들어합니다.

2. 그렇기에 원하는 모습이 되기 위해
누구보다 열심히 살아갑니다.

예를 들어 자신이 원하는 모습이 타인에게 인정받는 것이면
인정받기 위해 많이 희생하거나 많이 참거나
또는 자신의 방식으로 열심히 노력하거나

자신이 원하는 모습이 가족의 화목이면 가족의 화목을 위해
많이 희생하거나 많이 참거나
또는 자신의 방식으로 열심히 노력하거나

자신이 원하는 모습이 안정적인 삶이면
안정적인 삶을 위해
많이 희생하거나 많이 참거나

또는 자신의 방식으로 열심히 노력하거나

자신이 원하는 모습이 인간관계가 좋은 사람이면
인간관계를 좋게 하려고
많이 희생하거나 많이 참거나
또는 자신의 방식으로 열심히 노력합니다.

위의 예시가 아니어도 그게 무엇이든
자신이 원하는 상황을 만들기 위해
희생하고 참고 고민하고 자신의 방식으로 노력하며
정말 많은 신경을 쓰며 살아갑니다.

그래서 예민한 사람은
위의 두 가지 이유로
원치 않은 상황을 만나게 되면

그동안 원하는 상황을 만들기 위해

정말 많은 노력을 하고 신경을 썼음에도 불구하고
원치 않는 상황에 처하게 되면
다른 사람보다 훨씬 더 크고 깊게 힘들어하게 됩니다.
훨씬 더 오래 우울해하며
훨씬 더 좌절하고
훨씬 더 과거를 후회하고 미래를 걱정하고 두려워하고
훨씬 더 오래 자책합니다.

그래서 내 마음처럼 되지 않았을 때
힘들어지는 상황을 피하려고
내가 원하는 상황을 만들기 위해
실수하지 않기 위해
잘하고 싶은 상황에 민감하게 반응하게 되고
잘하고 싶은 부분에 대해서는
작은 일도 놓치지 않게 사소한 것까지 신경 쓰고
깊게 생각하게 되고 예민해지는 것입니다.

사람마다 원하는 상황은 다릅니다.

누군가는 원하는 상황이
많은 사람과 관계가 좋은 것이면
관계가 마음처럼 잘 안되거나 멀어지는 것 같거나
연락이 없거나 자신이 무리에서 소외되는 것 같거나
인기가 없는 것 같으면
크게 불안해하고 신경 쓰고 예민해지게 되고

누군가는 원하는 상황이 연인한테 사랑받는 거라고 하면
연인의 사랑 표현에 집착하게 되고
표현이 없으면 불안해지고 예민해지게 됩니다.

누구는 원하는 상황이 가족의 행복이면
가족에게 희생하고 노력하게 되고
가족이 잘 못 살게 되거나
가족과 관계가 안 좋아지면

크게 불안하고 신경 쓰게 되고 예민해지게 됩니다.

누구는 원하는 상황이 돈을 많이 버는 것이면
돈을 잘 못 벌거나 취업이 안 되거나
직장이 적성에 맞지 않아 그만 둬야 한다거나
직장이 안정적이지 않을 때
크게 불안해지고 크게 신경 쓰게 되고 예민해지게 됩니다.

이 '예민함'이 발생하는 이유는 결핍에서 나옵니다.

결핍은 가지고 있지 않은 만큼
훨씬 더 크게 채우고 싶은 마음입니다.
어릴 때 갖지 못한 결핍만큼
어른이 돼서 원하는 상황이 되지 않을 때
크게 불안을 느끼게 되는 것입니다.

결핍을 채우기 위해 노력하지만

채워지지 않을 때 불안과 힘듦이 더 크고 오래가게 됩니다.

그러나 모든 면에 예민한 사람은 없습니다.
모든 면에 결핍을 가진 사람은 없습니다.

어떤 건 신경도 안 쓰고 대범해 보이지만
어떤 부분에서는 한없이 예민해지고
어떤 건 다 이해해 주지만
어떤 부분에서는 절대 용납이 안 되고

그 이유는 내가 그 부분에 대한 결핍이 있기 때문입니다.

아주 간단한 예로
자식을 굉장히 사랑하는 한 부모가 있습니다.
그러나 부모가 자식을 자신이 원하는 모습일 때만
사랑한다면 그럼 자식은 사랑을 받은 게 아니라
부모가 원하는 모습이 되기를 교육받은 것이고

정작 아이가 원하는 부모의 모습을
부모로부터 받지 못해, 아이가 원하는 사랑은 받지 못해
거기에 따른 결핍이 생깁니다.

예민한 사람은
내가 잘하고 싶었던 부분에서 잘하지 못한
내 모습을 보는 게 무척 힘든 사람입니다.
그래서 내가 바라는 상황에서만큼은 항상 잘해야 하고
항상 좋아야 한다고 생각합니다.

그러니 만약 지금 마음이 크게 힘들다면
내가 원치 않은 상황을 만나서이기도 하지만
더 근본적인 중요한 사실은
내가 결핍이 있는 원치 않은 상황을 만나
크게 예민해지고 크게 불안하고
힘듦이 더 크고 오래 가는 것입니다.

그렇다고 하면 나는 앞으로 어떻게 하면 좋아질 수 있을까요?

앞으로 어떻게 살아가야
마음이 편한 날을 자주 만나게 될까요?

내 마음이 편안하고 행복하다고 느끼며 살아갈 수 있을까요?

만약 원치 않은 상황을 만나도
마음이 크게 불안해지지 않고
예민해지지 않는다면

마음의 여유를 가지게 됩니다.
살면서 원치 않은 상황을 만나도
마음이 힘든 강도가 훨씬 줄어드는 것입니다.

그렇게 된다면 앞으로 마음이 편한 날들 행복한 날들을
훨씬 더 자주 만나게 되며 살아가게 될 것입니다.

행복해질 수 있습니다.
그리고 원치 않은 상황을 만나도

더 담대하고 여유 있게
편안한 마음으로 문제의 답을 찾으며
수정해나가고 해결해 나갈 수 있을 겁니다.

그러나 원치 않은 상황을 만나게 되면
마음이 크게 불안해지고
크게 신경 쓰게 되고 그때마다 예민해진다면
결핍을 계속 가지고 살아가게 된다면

자주 불안하고 예민해지고 아픔이 오래가고
삶에서 만난 문제를 불안 속에서 힘들게 해결해 나가거나
불안이 크고 너무 힘들어
마주한 문제를 해결해나가거나 수정해 나가지 못하고
포기해 버릴지 모릅니다.

내 삶을 내가 원하는 방향으로 수정해 나가거나
바꿔나갈 힘을 잃게 됩니다.

삶은 내가 원하는 대로보다
원하는 대로 되지 않을 때가 더 많습니다.
그럼 나는 그때마다 예민해져 나도 힘들고
예민해진 나로 인해 주위 사람도 힘들어집니다.

그렇다면 나의 예민함을 줄이기 위해
내가 가진 결핍을 채워야 하는데
어떻게 결핍을 채울 수 있을까요?

결핍은 '좋음'을 선택하며 채울 수 있습니다.

결핍이란 좋음이 부족한 상태입니다.

그래서 좋음을 선택하며 채워나갈 수 있습니다.

그럼 나의 좋음을 선택한다는 건 뭘까요?
내가 좋아하는 걸 선택한다는 게 뭘까요? 이런 것입니다.

우리는 보통 나의 좋음을
이루어지길 바라는 소원 같은 거로 생각합니다.
"스위스에서 한 달 동안 살고 싶어."
"돈이 많으면 좋겠어."
"많은 사람이 다 나를 좋아하면 좋겠어."
"맨날 여행만 다니면 좋겠어."

물론 그것도 내 좋음이 맞지만
그건 지금 만날 수 있는 좋음은 아닙니다.
만약 위의 예시와 같이 지금 이루어질 수 없는 좋음만이
내 좋음이라고 하면 그 일을 경험하기 전까지
나는 계속 좋을 수 없는 사람이 됩니다.

그럼 여기서 말한 내 결핍을 채워 나갈 수 있는

지금의 좋음이란 무엇일까요?

예를 들어
밥과 샐러드가 있습니다.
당신은 밥을 먹어야 좋은 사람입니다.
밥에 대한 결핍이 있어요.
밥을 먹지 않으면 불안한 사람입니다.
그런데 옆에 있는 소중한 사람은
샐러드를 먹고 싶어 하는 것 같습니다.

그럼 당신은 어떻게 하겠어요?
밥을 먹겠어요? 샐러드를 먹겠어요?

혼자 있다면 그냥 밥을 먹겠지만
다른 사람이 있다면 고민하겠지요.

예를 들어 당신은 밥에 대한 결핍이 있고

밥을 못 먹으면 불안해지는 사람이고
옆에 있는 사람은 샐러드를 먹고 싶어 하는 상황이라면

당신이 밥에 대한 결핍을 채우는 방법은
우선 스스로에게 물어보는 것입니다.
지금 상황에서 어떻게 하면 '내가' 좋을 것 같은지

1. 밥 먹는 걸 선택한다면 나는 밥을 먹어 좋지만
샐러드를 먹고 싶어 하는 사람은 서운해할 것이다.

2. 샐러드를 먹으면 나는 밥을 못 먹어서 불안하지만
샐러드를 먹는 사람은 좋아할 것이다.

여기서 내가 어떻게 하면 좋을지
나에게 물어보는 것입니다.
나에게 선택의 자유를 주는 것입니다.

그러나 선택할 때 좋은 것만 갖고 싶고
거기에 따르는 안 좋은 것은 가지지 않으려는 마음은
선택을 못 하게 만듭니다.
그건 내 욕심 때문에 선택을 못 하는 것입니다.

예를 들어 나는 밥을 먹고 싶고
샐러드를 먹고 싶어 하는 사람이
그냥 나를 이해해 주면 좋겠다는 생각 같은 건
선택지에 없습니다.

위의 보기 중 내가 1번 밥을 선택했다고 한다면 어떨까요?
나는 좋습니다. 밥을 선택했으니
밥을 먹지 못 하면 불안한 나의 결핍이
좋음으로 채워진 것입니다.

그리고 시간이 지나
다음에 그 사람과 다시 같이 식사를 하게 되었습니다.

그럼 나는 밥을 선택할 수도 있고
샐러드를 선택할 수도 있습니다.

내가 나에게 물어보는 것입니다.
내가 어떤 선택을 해야 좋을 것 같은지

1. 밥을 선택하면 샐러드를 먹고 싶어 하는 사람이
서운해한다. 하지만 나는 밥을 먹어 좋다.

2. 샐러드를 먹으면 밥을 못 먹어서 내가 불안하지만
옆에 있는 사람이 좋아한다.
내가 어떻게 하면 좋을지 나에게 물어보는 것입니다.
나에게 선택의 자유를 주는 것입니다.

예를 들어
지난번에는 1번을 선택했고
상대가 서운한 게 걸리는 것 같아

이번에는 2번을 선택하는 게 좋을 것 같아
2번 샐러드를 선택했습니다.

나는 밥에 대한 결핍이 있어
밥을 못 먹으면 크게 불안해지는 사람이어서 밥을 먹는 게
내 좋음이었지만
이번에는 상대가 불편해하는 게 마음에 걸려
내가 생각하기에 밥을 먹는 것보다
샐러드를 먹는 게 '좋을' 것 같아 샐러드를 선택했다면
지금은 나의 '좋음'이 샐러드로 변한 것입니다.

그럼 나는 샐러드를 선택한 후에
불안하고 힘들고 괴로운가요?
아니면 받아들이고 좋을 수 있나요?
받아들일 수 있고 불안하지 않으며 좋습니다.
'내가' 원해서 내 '좋음'으로 선택한 것이니까요.

이것이 결핍을 채우는 방법입니다.
무슨 말이냐면

나는 분명 밥을 못 먹으면
밥에 대한 결핍이 있어 불안한 사람이었어요.
그러나 지금은 밥을 먹지 않아도 '좋은' 사람이 된 것입니다.
밥에 대한 결핍이 사라진 것입니다.
밥에 대한 결핍을 나의 '좋음'으로 선택함으로써

결핍은 이렇게 나의 '좋음'으로
나의 만족감으로 채워 나가는 것입니다.
그럼 불안하지 않습니다.

그러나 이렇게 하지 않고
밥에 대한 결핍이 있는데 밥을 못 먹게 되면
밥을 못 먹는 것에 대한 큰 힘듦과 불안함을 느끼고
예민해지게 됩니다.

결핍을 채우는 방법은
내가 나에게 우선 물어봐 주는 것입니다.
나는 지금 어떻게 하면 좋을지 선택의 자유를 주는 것입니다.

그리고 나의 '좋음'을 선택하는 것입니다.
그렇게 결핍을 채우는 것입니다.

좋은 것만 선택하려 하고
거기에 따른 선택했을 때 생기는 일은 안 좋은 건
받아들이지 않으려고 하면
내 욕심으로 선택하지 못하게 되고
결핍도 채울 수 없고
선택하지 못한 채
계속 힘들어하게 되고 예민해지게 됩니다.
그리고 자신은 선택할 수 없다고 착각하면서
인생이 불행하다고 생각하고 무기력해집니다.

결핍은 어릴 때, 내가 생긴 것입니다.
그래서 결핍이 있는 상황을 만나면
마음속에 어릴 때의 내가 나옵니다.

상처받은 아이(결핍을 가진 아이)

그래서 선택 앞에서 어린아이가 되려고 합니다.
원하는 것을 갖고는 싶고
갖기 위해 따르는 노력은 하기 싫은 아이
좋은 것만 갖고 싶고 거기에 따르는 힘든 건 갖고 싶지 않은
책임은 지기 싫어하는 아이의 마음은
자신이 가진 결핍 앞에서 누구나 자주 나타나는 마음입니다.
그래서 선택을 하기 어렵습니다.

그런 마음속에 아이를 선택하지 못한다고
엄격하게 대하는 게 아니라 이해하고
그 아이에게 시간을 갖고 무엇을 원하는지 물어봐 주고

주어진 상황에서 선택할 수 있는 '좋음'을
선택해 나가는 것입니다.

선택했는데 물론 나의 '좋음'이 아닐 수도 있습니다.
그래도 선택해 나가야 합니다.
선택했는데 나의 좋음이 아니라고
인생이 실패하는 게 아닙니다.
다시 내가 좋을 것 같은 걸 선택하면 됩니다.
그렇게 인생을 살아가면서
나의 좋음이 무엇인지 찾아 나가며 살아가는 것입니다.
나의 결핍을 나의 좋음으로 채워 나가고 치유해 나가면서

조금 더 상처에서 자유로워지고
조금 더 내가 나다워지는 순간들을 만나게 됩니다.

하나 더 예를 들어보겠습니다.

남자친구가 자신에게 사랑을 많이 표현해주어야
행복을 느끼는 여자가 있습니다.

그런데 남자친구가
항상 사랑을 많이 표현해 줄 수는 없습니다.
남자친구도 바쁘거나 속상한 일이 있거나
우울하거나 기분이 좋지 않거나
그러면 항상 표현 해 줄 수는 없습니다.

그러나 여자는 사랑 표현을 받아야만 좋고
그렇지 않으면 마음에 큰 불안이 찾아온다면
남자친구가 조금만 표현을 해주면 금세 기분이 좋아지고
조금이라도 무신경해지는 것 같으면 금세 불안해집니다.

그렇게 되면 감정 기복이 심해져 자신의 삶에 해야 할 일과
자신의 하루에 온전히 집중하지 못하고
불안한 마음으로 살아가게 됩니다.

편안할 수 있는 사랑이
사랑 표현으로 인해 불안해지고
감정 기복이 심해지는 것입니다.
사랑이 사랑 표현에 갇히게 되는 것입니다.

그건 사랑 표현에 대한 결핍 때문에 사랑 표현이 없을 때
예민해지게 돼서 그렇습니다.

(자신이 무슨 결핍이 있는지는
자신이 무엇에 예민해지는지 생각해 보면 알 수 있습니다.
여기서 예민해진다는 것은
무엇이 내 마음처럼 되지 않을 때
나는 불안함을 느끼고 힘들어지는지를 의미합니다)

그래서 사랑 표현을 받지 못하는 것 같으면 예민해집니다.

상대방이 표현할 때만 그 사람이 좋은 게 아니라

표현하지 않을 때도 표현할 때도
그 사람 자체를 보고 좋아할 수 있는 것이
내가 사랑을 하면서 감정 기복을 줄이고
더 편안한 마음으로 상대를 만나는 방법입니다.

그러기 위해서는 내가 표현의 결핍에서 벗어나야 합니다.
(사랑하는 사람에게 표현 받는 것을 좋아하는걸
나쁘다고 말하는 게 아닙니다.
표현 받아야 하는 마음이 지나치게 커
내가 표현 받지 못하는 상황에서 예민해지고 불안해져
상대방의 상황을 살피지 못하게 되고 다투게 되거나
불안해 스스로 힘들어하는 사람의 경우를 말합니다)

여기서 표현에 대한 결핍을 건강하게 채우는 방법
표현에 대한 결핍을 채워 표현 받지 못할 때
불안함과 예민함을 줄이는 방법은

결핍을 느낄 때에
나의 좋음을 선택해 결핍을 채워 나가는 것입니다.

예를 들어

1. 남자친구가 힘들어하는 것 같으니 힘든지 물어보고
그렇다고 하면 충분히 이야기를 들어주고
상태가 나아진 다음 사랑을 조금 더 표현해 줄 수 있냐고
물어본다.
대신 자신이 먼저 용기를 내서 표현해달라는 말을 해야 한다.

2. 그 남자는 별로라고 생각하고 헤어진다.
내가 더는 신경 쓰지 않아도 되지만
대신 헤어지는 게 슬프고 힘들다.

(지금 저는 대충 두 가지 예를 든 것입니다.
스스로가 마주한 문제에서 선택지를 만들면 됩니다)

이렇게 양쪽 선택지에 장단점을 적고
두 개의 선택지 중 자신이 조금 더 좋은 걸 선택하면 됩니다.

대신에 좋은 것만 갖고 싶고
거기에 따르는 선택하면 발생하는
안 좋은 건 갖지 않으려 한다면
내 욕심이고 내 욕심으로 선택하지 못해 계속 괴롭습니다.

표현해달라고 말은 하기 싫고
표현해 주면 좋겠고 이런 마음들은 내 욕심입니다.

내가 나에게 물어보고
내 '좋음'이 두 개의 보기 중 1번이면 1번을 선택하면 됩니다.

그럼 상대방이 나를 미워하지 않는 이상 표현을 해주겠지요.
그럼 나는 표현 받지 못해 찾아온 지금 순간의
불안과 예민함 감정 기복 자책에서 벗어나게 됩니다.

내 결핍을 나의 좋음을 선택해 채웠기에.

결핍을 채우는 방법은
곧 자존감을 높이는 방법입니다.

자존감은 쉽게 말하면 내가 나를 좋아하는 마음입니다.

예를 들어 내가 많이 신뢰하고 정말 좋아하는 사람이 있어요.
그런데 누군가 그 사람에 대해 안 좋게 얘기하면
별로 그 얘기를 듣고 싶지 않고 그 사실을 믿지 않습니다.

그러나 내가 안 좋아하는 사람이 있어요.
그런데 누가 지나가면서 그 사람을 안 좋게 말하면
그 사람이 더 안 좋게 보이고 그 말이 크게 받아들여집니다.
같은 예로 내가 싫어하는 목걸이가 있어요.
그런데 목걸이를 차고 나갔는데
누가 그 목걸이를 안 좋게 말했어요.

그럼 나는 그 이야기를 떨쳐 버리지 못하고
크게 받아들이게 되고 마음이 크게 흔들리게 됩니다.

내가 좋아하는 건 좋아하는 만큼
타인의 시선과 말에 흔들리지 않고
주관적으로 바라볼 수 있게 됩니다.

내가 안 좋게 바라보는 건 타인의 말이 크게 들리고
크게 받아들여지게 됩니다.

그래서 내가 나를 어떻게 바라보느냐가 자존감입니다.

내가 나를 좋게 바라본다면
타인의 시선과 말에 크게 흔들리지 않습니다.

내가 나를 안 좋게 바라본다면
타인의 시선과 말이 크게 받아들여지기에

타인의 시선과 말을 크게 의식하게 됩니다.

내가 나를 좋게 바라보는 것이 자존감이 높은 것입니다.
그래서 자존감이 낮으면 타인을 많이 의식하게 되고
자존감이 높으면 100% 항상은 아니지만
나답게 편안한 마음으로
흔들리지 않고 살아가는 순간들이 많아집니다.

그래서 자존감을 높이기 위해서는
내가 나를 좋게 바라봐야 합니다.

내가 나를 좋게 바라보기 위해서는
내가 나의 결핍을 채울 수 있어야 하고
나의 '좋음'을 선택해 살아가야 합니다.

나의 '좋음'을 선택한다는 건
내가 좋아하는 것을 해주는 것과 같습니다.

내가 좋아하는 것을 내가 해줄 때
나는 나를 좋아할 수 있습니다.

내가 나를 좋아하는 것이
나를 사랑하는 것이고
나를 사랑하는 것이 자존감을 높이는 것입니다.

자존감이 높은 사람
나를 사랑하는 사람
자유롭게 사는 사람
내 마음처럼 되지 않아도
여유 있게 문제를 풀어나갈 수 있는 사람
불안하지 않고 감정 기복이 심하지 않은 사람
지나치게 예민해서 스스로 힘들지 않은 사람
스스로 결핍을 채우고 상처를 치유해 나가는 사람
주위 사람들에게 바라고 서운해하면서 기대지 않고
혼자 설 수 있는 사람

모두 같은 말입니다.

그리고 나의 '좋음'을 계속 선택하며 살아가다 보면
미웠던 인생일지라도
시간이 지나 점점 내가 보기에 좋게
내 인생이 변해 갑니다.

그동안 결핍 앞에서 내 마음처럼 되지 않아
크게 불안하고 오래 아파하고 예민해져 힘들었다면
조급해하지 말고
내 인생의 나아가고 싶은 길을 나에게 물어봐 주며
'좋음'을 선택해
한 걸음씩 앞으로 나아갈 수 있기를 응원합니다.

'좋음'을 선택해 나아가다 보면
좋은 길이 펼쳐질 거라 믿습니다.

나를 위한 시간

외로워도 혼자가 되는 시간에 익숙해져야 한다.

당분간은 약속을 잡지 않고
내가 왜 불안한지 무엇이 필요한지 곰곰이 생각해 본다.

사람들을 만나 바쁘게 사는 것으로 외로움을 달래면
결국 다시 공허해지고
나를 위해 정말 필요한 시간을 갖지 못하게 된다.

나를 위해 필요한 시간을 갖는다는 건
지금 내게 정말 필요한 것이 무엇인지 고민해보고
그것을 채워보는 일이다.

불빛프로젝트

대학로 마로니에 공원에서 불빛프로젝트라는
프로젝트를 한 적이 있습니다.
공원에 천막을 치고 고민 있는 사람들이 찾아오면
고민을 들어주는 프로젝트였습니다.

그때 저는 유명한 작가도 아니었고
대단한 학력을 가지고 있거나 사회적으로 봤을 때
성공한 사람도 아니었으며 경험이 많지도 않았습니다.

인터넷에 올린 제 글을 보고 사람들이 한 명 두 명 찾아왔고
이곳에 오면 모르는 사람에게 고민을 털어놓을 수 있다는
소문이 나자 시간이 많이 지나
줄을 서야 할 만큼 많은 사람이 찾아왔습니다.

우리는 때론 가까운 사람보다 모르는 사람에게
속마음을 털어놓는 게 더 편할 때도 있으니까요.

프로젝트 이름처럼 천막에 불빛이 밝혀졌습니다.
찾아오는 누군가의 어두운 마음에도
불빛이 밝혀지기를 바라면서.

37일간의 프로젝트가 끝나고
저는 고향인 대전으로 돌아갔습니다.
2000명의 사람이 찾아왔고 몸무게는 8킬로가 빠졌습니다.
사람들의 힘든 이야기를 계속해서 들으니 많이 지치고
힘들었던 것 같습니다.

그리고 당시에 이렇다 할 직업도 없으니
돈도 없어 기차비를 제외하면
가진 돈이 2만 원이 남아있었는데
그날 고생한 제게 해줄 수 있는 최고의 선물은
만 원짜리 국밥 한 그릇을 사주는 것이었습니다.

그날 밥을 먹고

집에 바로 들어가지 않고 한참을 걸으며 생각했습니다.

지친 사람을 위로하는 데는
경력도 자격도 학력도 실력도 필요하지 않다는 걸.
누군가의 힘든 이야기를 진심으로 들어주는 것만으로도
큰 위로가 된다는 걸.
우리의 힘듦은 어쩌면 힘든 일 그 자체보다
주위에 내 마음에 오롯이 공감해 주는 사람이 없기에
더 힘든 것일 수 있다는 생각이 들었습니다.

사람들이 제게 고민을 말하고
고민에 대한 제 생각을 물어봤을 때
어떤 말들을 하기도 했는데

어떤 말들이었는지 곰곰이 생각해보면 힘들 때 정말 힘들 때
내가 가장 듣고 싶었던 말들이었습니다.

많이 힘들죠?

많이 지쳐 보여요

혼자 지금 얼마나 힘들까요

당신의 고단한 시간 뒤에
밝게 웃을 수 있는 일이 꼭 찾아왔으면 좋겠어요

기죽을 것 없어요. 당신을 믿어요
잘하든 못하든 끝까지 해봐요

당신은 소중한 사람이에요
당신은 아름다운 사람이에요
살다 보면 괴로운 일로
내가 그런 사람이라는 걸 잠시 잊게 될 때도 있겠지만
당신의 가치는 변하지 않아요

행복하게 살아요. 그냥 행복하면 돼요
너무 많이 생각하지 말아요

내가 힘들 때 가장 듣고 싶었던 따뜻한 말들...

내가 힘들 때 가장 듣고 싶었던 말들을 사람들에게 해주며
저도 그 말을 들을 수 있었고 저에게 많은 치유가 되었습니다.

그리고 그날 꿈이 생겼습니다.
작가가 되기로
가능하다면 유명한 작가가 돼서 더 많은 사람이
고민을 나누러 찾아오면 좋겠다고 생각했습니다.

그날 저녁
몸도 마음도 지쳐있어 힘들었지만 힘이 났습니다.
그 후로 5년이 지나 저는
제 이름을 건 작은 상담소를 갖게 되었고

사람들의 고민을 만나고 있습니다.

힘들 때도 있지만 여전히 위로하며 위로받습니다.

당신이 지쳤다면
또는 소중한 누군가가 힘들어하고 있다면

내가 힘들 때 가장 듣고 싶었던 그 말을
꺼내 보면 좋겠습니다.

나에게도
그 사람에게도

오늘 밤은 어두운 마음에
작은 불빛이 밝혀질 거라 생각합니다.

사고 싶은 것을 다 사고

가고 싶은 곳을 다 가고

경험하고 싶은 곳을 다 경험하지 못해도

당신의 삶은

충분히 살아 볼 만한 아름다운 인생입니다

가능성

나는 당신을 모르지만
한 사람의 무한한 가능성을 믿는다.

수천 킬로미터를 걸어간 사람의 이야기
무명의 작가가 베스트셀러가 된 이야기
12번의 취업에 실패하다 결국은 취업에 성공한 이야기

그들도 매번 자신의 가능성을 의심했을 것이다.

가장 불안한 순간에
자신의 가능성이 희박하다고 생각했을 것이다.

많이 두려웠을 것이다.

그러나 결국에 믿어 주었을 것이다.

자신의 아주 작고 희박한 가능성을

그리고 작고 희박한 가능성을 가지고
계속 조금씩 걸어 나갔을 것이다.

걸어가다 지치고 가장 포기하고 싶을 때

다시, 아주 작고 희박한 가능성을 믿어 주었을 것이다.

그렇게 조금씩 모인 작고 희박한 가능성이
한계가 없는 일을 만들어 낸다.

한계가 없는 일을
기적이라고 한다.

자신을 믿는 만큼
자신의 인생이 달라질 수 있다고 믿는 사람에게는
한계가 없다.

기적이 있다.

당신은 기적을 만들 수 있는 사람이다.

당신을 조금 더 믿어주고 당당하게 걸어 나가도 된다.

짜증이 많아진 당신

기분 나쁜 말투 기분 나쁜 행동
배려 없는 행동 무시하는 말들

내 의견을 존중하지 않은 채
자신의 마음대로 나를 대하려는 사람을 만나면
누구나 짜증이 납니다.

짜증은 정신적으로 매우 큰 에너지 소모를 줍니다.
그래서 짜증이 많은 날은 아무것도 하기 싫어지고
다 귀찮아집니다.

짜증 나는 마음이
가장 빨리 풀리고 좋은 건

누군가 나에게 이렇게 말해 줄 때입니다.

"너 지금 참 속상하겠다.

내가 네 마음은 너무 생각 안 하고
내 마음대로 행동했나 보다.
너 그동안 참 많이 힘들었겠다."

그렇게 누군가 마음을 알아주기만 해도
별말 아닌데도 마음이 녹습니다.

만약 내가 평소 소중하게 생각하는 누군가가
요즘 부쩍 짜증이 는 것 같다면
별말 아니지만 이렇게 마음을 알아주는 말을 한번 해 보세요.

그럼 그 사람에게 당신은
참 고마운 사람으로 오래 남습니다.

누구나 지치면 짜증 납니다.
그건 나 또한 마찬가지입니다.

나에게 소중한 사람이라면
짜증 내는 순간의 그 모습만 보고
그 사람의 전부인 것처럼 생각해
나까지 그 사람을 미워하지 말고

지금까지 그 사람이 홀로 어떤 힘든 시간을 보냈을지
한번 생각해 주세요.
나에게 소중한 사람이라면요.

상대의 마음을 바라봐 주는 것이 이해이고
상대를 이해하기 위해 노력하는 사람만이
상대에게 이해받을 수 있습니다.

만약 이해해 준 뒤에 시간이 지나
나의 이해하려 했던 마음을
알아주고 고마워하는 사람이라면
그 사람은 분명 좋은 사람일 겁니다.

그러나 내가 계속 이해해도 달라지지 않고
나를 함부로 대하고
나에게 계속 짜증 낸다면
사실 그 사람은 어떤 힘든 일 때문에 짜증을 내기보다는
그냥 짜증을 잘 내는 모습이 원래 모습일 수 있습니다.
처음 잘해주었던 모습은 가식이고요.

그러니 이번 기회에
그 사람이 진짜 좋은 사람인지 아닌지 알 수 있습니다.

내가 먼저 이해해보기 위해 노력하며
따뜻하게 말을 건네준다면.

사람은 옆에 있는 사람에게
아주 크게 영향을 받습니다.

그래서 어울리는 사람이
어떤 사람인지 정말 중요합니다.

어떤 생각을 가지고 사는지
무엇을 중요하게 생각하는지
어떤 말을 하는지
미래에 대한 어떤 생각을 하고 있는지
어떤 생활을 하고 있는지

그런 것을 잘 살핀 뒤에
가까이할 사람인지 아닌지를 판단해야 합니다.

•

사람은 오래 봐야 좋은지 아닌지 알 수 있다.

•

시간을 쓰지 마세요.

누군가를 계속 미워하는데
부정적인 일을 계속 상상하는데
과거의 후회를 계속 되짚는데

아무리 시간을 써도
내게 돌아오는 건 아무것도 없습니다.

•

'지쳤다'라는 의미는
오랫동안 긴장하고 바빴다는 것입니다
그럴 때는 느리게 있거나
아무것도 안 하는 것이 최고의 휴식이 됩니다.

•

뭐든 적당히 하는 것이 좋다

생각도

걱정도

후회도

자책도

•

집에 있을 때 잡생각이 많아지면
밖으로 나가세요.

몸을 너무 오래 움직이지 않으면
자연스레 잡생각이 많아집니다.

나를 불행하게 만드는 집착과 착각

상담소를 운영하다 보면
여러 사연으로 많은 사람이 찾아옵니다.

사연에 공통점이 있다면
원하는 상황이 있는데 원하는 대로 되지 않아
힘들다는 것입니다.

누구는 자식이 본인이 원하는 대로
어떻게 행동했으면 좋겠는데 원하는 대로 행동하지 않아서

누구는 돈을 안정적으로 벌고 싶은데 취업이 어렵거나
지금 직장이 맞지 않아 옮길까 말까 고민이라서

누구는 합격하고 싶은 시험이 있는데 잘 안돼서

누구는 사랑하는 사람을 자주 보고 싶은데
자주 볼 수 없게 돼서

누구는 인간관계를 잘하고 싶은데 잘 안돼서

누구는 타인의 말에 흔들리고 싶지 않은데
자주 흔들리게 돼서

누구는 주위 사람이 내가 원하는 대로 행동해주면 좋겠는데
내가 원하는 대로 행동해주지 않아서

등등...

원하는 상황이 있는데 이루어지지 않아
슬프고 괴로우며 힘들고 속상하다고 합니다.

물론 위의 상황을 만나게 되면
당연히 속상하고 마음이 아픕니다.

그러나 시간이 지나도

이루어지길 바라는 상황이 이루어지지 않았다고
계속 인생이 불행하게 느껴지고
행복하지 않다는 생각이 든다면

이루어졌으면 하는 상황이 이루어지지 않아
내 인생이 불행한 것이 아닙니다.

내가 그 일에 집착하고 있어 현재 행복하지 않은 것입니다.
착각하고 있는 것입니다.
원하는 상황이 지금 이루어져야만 내가 행복할 거라고.
이루어지지 않으면 나는 앞으로 행복할 수 없을 거라고.

물론 이루어진다면 행복할 수 있습니다.

그러나 잠시의 행복입니다.

그 방식으로 살아간다면

앞으로 내가 원하는 상황이 생기고
내가 원하는 대로 되지 않을 때마다
나는 감정에 동요가 크고 불행한 사람이 될 수밖에 없습니다.

그럼 만약 그렇게 살아가면 안 되냐고 묻는다면
그렇게 살아가고 싶다면 그렇게 살아가도 됩니다.
다만 계속 그렇게 살아가고 있어서
지금이 너무 괴롭고 불행하게 느껴진다면
그래서 그만 괴로움에서 벗어나고 싶다면
괴로움에서 벗어날 방법이 있습니다.

이루어졌으면 하는 원하는 상황이
이루어지지 않아도 행복할 수 있습니다.

그 방법에 대해 적어보려고 합니다.

원하는 일이 꼭 이루어져야만

내가 행복할 수 있다고 생각하는 건 착각과 집착입니다.

우선 원하는 상황 앞에서 스스로 물어보십시오.
지금 힘드니
이루어지길 바라는 상황을 단념하고 포기하고 싶은지
포기하고 싶다면 포기해도 됩니다.

그러나 어떤 이유에서든
이루어지길 바라는 상황을 포기하고 싶지 않다면
삶의 시간 일부는 그것을 이루기 위해 쓰고
그리고 삶의 나머지 시간은 내 인생에
새로운 행복한 순간을 만들어 가는 데 쓰십시오.

그래야만 시간이 지나 집착에서 벗어나게 되고
원하는 일이 이루어지면 좋겠지만
이루어지지 않아도 행복하게 살아갈 수 있습니다.

그게 아니라면 이루어지길 바라는 상황을 이루기 위해
지금부터 최선을 다해 노력하십시오.
다만 노력해도
원하는 상황을 만나지 못할 수도 있다는 사실을
인정해야 합니다.

내 마음대로 다 되는 건 없습니다.
누구나 그렇습니다. 다만 그래도 노력하는 건
지금, 이 순간 노력하는 게 노력하지 않는 것보다
내가 더 행복하기 때문에 선택하는 것입니다.
그래야 노력하는 동안
인생이 괴롭고 불행하게 느껴지지 않을 수 있습니다.

세상의 모든 일이
꼭 내 마음대로 다 된다는 법은 없습니다.
항상 내 마음처럼 꼭 돼야 한다는 건 내 욕심입니다.
원래 그럴 수는 없는 것입니다.

내 마음처럼 될 때도 있고
내 마음처럼 되지 않을 때도 있습니다.
그럼 내 마음처럼 되지 않으면
나는 실패자고 인생이 잘못된 것이고
불행한 사람이냐 그렇지 않습니다.

내가 그렇게 생각하기에 그런 사람이 되는 것이지
그냥 내 마음처럼 안된 것뿐입니다.
그래도 더 노력하고 싶다면 노력하면 되고
더 노력하고 싶지 않으면 다른 노력 하고 싶은 걸 찾아
살아가면 됩니다.

지금 신경 쓰는 일이 잘 돼야만
미래에 잘 살 거라는 건 착각입니다.
그래야만 행복할 거라는 프레임 속에 갇혀
내 인생을 자유롭게 제대로 살아가지 못하고
인생의 시간을 내 마음처럼 안된 일만 바라보고

속상해하고 괴로워하며
인생의 시간을 다 쓰고 있는 것입니다.

원하는 일을 이루기 위해
계속 노력하고 싶으면 노력하면 되고
그만 노력하고 싶으면 그만 노력하면 되고
피하고 싶으면 피하면 됩니다.
아니면 조금만 노력하고 싶고 나를 힘들게 하는 것에서
거리를 두고 싶으면
조금만 노력하고 거리를 두고 살아도 됩니다.

그러다 마음이 바뀌면
마음이 바뀐 방향으로 살아가면 됩니다.

꼭 어떻게 해야 한다.
꼭 그렇게 해야 한다. 그런 건 없습니다.
나와 맞는 것을 하는 게 나에게는 가장 중요합니다.

내가 행복하기 위해 살아가는 것이니까요.

예를 들어 어떤 사람은
'사람들이 나에게 먼저 연락을 자주 해야 해.
주위에 사람이 항상 많아야 해.' 라고 생각합니다.
그래서 그렇게 되지 못하면 괴로워하고 슬퍼합니다.
인생이 불행하다고 생각합니다.
앞으로의 인생도 걱정합니다.
그러나 그건 내가 만든 프레임이지 사실이 아닙니다.

사람들에게 먼저 연락이 자주 오는 사람이 돼야
행복한 게 아닙니다. 그런 법칙 같은 건 없습니다.
주위에 사람이 많아야 하는 법칙 같은 것도 없습니다.
그러면 행복할 것 같지만 그래도 잠시의 행복이고
그렇게 되지 않으면 또 불안하고
그래야 한다는 마음이 지나치게 강해 집착하게 되면
원하는 대로 되고 있다고 해도

나중에 그렇게 안 될까 봐 불안하고 불안이 커지면
미래를 부정적으로 상상하고 걱정하게 됩니다.

그 방식으로 살아간다면 삶에 또 다른 원하는 게 생기면
그렇게 되면 좋고 그렇게 되지 않으면 크게 괴로워합니다.
마음이 자주 불안해지고 감정 기복이 심해지고
지치고 힘듭니다.
이렇게 살아간다면 마음이 평안한 날이 자주 없게 됩니다.

누군가는 주위에 사람이 많지 않아도
먼저 연락이 오지 않아도 행복하게 잘 살아갑니다.

주위에 사람이 많아야 하고
먼저 연락이 와야 한다는 프레임을 내가 만들고
그렇게 되지 못하니 괴로운 것이지
꼭 그래야 한다는 건 없습니다.
사람이 적든 많든 내가 원하는 방향으로 만들어 가며

살아가면 됩니다. 그렇게 될 수도 있고 안 될 수도 있습니다.
그것만이 내 행복이라 생각하니
그렇게 돼야만 행복하다 착각하고 집착하게 되는 것입니다.

또 다른 예로
공무원 시험을 3년 동안 준비한 사람이 있습니다.
그리고 시험에 떨어졌고
그 후로 비관하여 자살을 시도하였습니다.
왜 자살을 시도하였냐고 물으니
내가 쓸모없다는 생각이 들어서라고 했습니다.
그리고 앞으로 인생을 살아도
행복할 것 같지 않아 죽음을 시도했다고 합니다.

내 행복이 공무원이 되는 것밖에 없다고 생각해서
공무원이 안 되니 죽으려 하는 것이고
내가 공무원이 돼야만 행복할 수 있다고 생각하니
앞으로가 행복하지 않을 것 같다고 착각하는 것입니다.

공무원이 되지 않아서 괴로운 게 아니라
공무원이 되지 않는다고
모든 사람이 죽음을 생각하는 것이 아니라
내가 나를 스스로 괴롭게 하는 것입니다.

내가 프레임을 만들어 집착하고 착각하고 있어
내 인생을 행복하게 살아가지 못하고 있는 것입니다.

그래서 자꾸 어떤 일을 해서 잘 안되면 실패했다 생각하고
앞으로 행복할 수 없을 거라고 착각하게 되는 것입니다.

"공무원을 할 수 없는 나는 쓸모없는 사람이야."
아닙니다.
공무원이 되지 않아도 당신은 정말 정말 소중한 사람입니다.
다른 일을 하면 됩니다.
시간을 낭비한 게 아닙니다. 내 인생의 시간을
내가 해보고 싶은 걸 하는데 써 본 것입니다.

자신이 해보고 싶은 걸 평생 한 번도 해보지 못하고
자신이 원하는 걸 하기 위해 자신의 삶에 시간을
한 번도 써보지 못하고 살아가는 사람도 많습니다.

꼭 내가 공무원이 돼야 하는 법 같은 건 없습니다.
물론 되고 싶다면 열심히 시도하면 됩니다.
대신 안 될 수도 있습니다. 안 되면 괴로울 수도 있습니다.
힘들 수도 있고요.

그러나 안 되고 난 후에
계속해서 삶을 제대로 못 살아가고 있다면
내가 공무원이 돼야만 내 인생이 행복하다는
프레임에 갇혀 있어서 그렇습니다.
그렇게 착각하고 집착하고 있어서 괴로운 것입니다.

공무원이 안 되면 다른 일을 하며 살아가면 됩니다.
다른 일을 해도 안정적으로 살아갈 수 있습니다.

다른 일을 해도 인생을 행복하게 살아갈 수 있습니다.

그렇게 살아야 내가 혼자 어떤 프레임을 만들어
그 속에 갇힌 채 살아가며 괴로워하지 않을 수 있습니다.

내 마음처럼 되지 않는 일을 만났다면
그게 무슨 일이든 충분히 괴로워했다면
그걸로 충분합니다.

다시 행복한 순간을 만들어 가도 됩니다.

그동안 사는 게 숨 막혔다면

오늘은

어디를 가든

한번 산책하듯이 걸어 보세요.

가장 가벼운 마음으로

가장 가벼운 호흡으로

가장 가벼운 생각으로

아주 먼 길을 여기까지 달려오느라 숨이 가쁘고 벅찬 거니까
오늘 하루는 그냥 산책하듯이 걸어 보세요.

숨 가빴던 호흡이
지쳐있던 마음이
복잡했던 생각이
편해질 거예요.

그리고 다시 또 바쁘게 뛰며 살아가야 하겠지만

잊지 마세요.

살아가다 숨이 턱까지 차고
정말 더는 나아가기 힘들고
답답하고 괴로울 때는

하루를 가볍게
산책하듯이 살아도 된다는 걸.

당장은 이겨낼 수 없더라도

겨울이 되기 전 상담소에
중학생으로 보이는 친구가 찾아왔습니다.

2시간을 버스를 타고 왔다고 합니다.

상담 내용은 아버지가 어머니를 폭행하고
바람까지 피워서 새 오빠를 데리고 왔는데
이제는 오빠도 어머니를 때린다고 했습니다.

센터에서 도와주어 폭행을 막을 수는 있었지만
그 어린아이가 지금 너무 무섭고 힘들다고 합니다.

저는 아무 말도 해줄 수가 없었습니다.

밥을 먹었냐고 물은 뒤
먹지 않았다고 하여
마을에서 가장 맛있는 카레 집에 데려가 카레를 사주고

그날 아이의 의견을 묻고 센터와 통화한 뒤
아이에게 괜찮다면
작은 고양이를 사주겠다고 했습니다.

고양이를 키워보겠냐고.
고양이가 다 클 동안 너도 커 있을 거라고.

네가 크면 그럼 지금보다 더 강해져 있을 거라고.
지금보다 강해진 너는 문제에서 벗어나
너의 인생을 자유롭게 살아갈 힘이 생길 거라고.

그때까지만 버티라고.

사람은 마음속에
지키고 싶고 가꾸고 싶은 게 생기면 힘이 납니다.

다행히 아이는 전부터 고양이를

정말 키워 보고 싶었다고 했습니다.

지금은 시간이 지나 어른이 되었고 취업을 해
엄마와 고양이와 함께 살아가고 있습니다.

가끔 편지가 옵니다.
고맙다고.
힘듦을 만났을 때 힘든 시간을 지나갈 수 있는 방법을 알려줘서.

우리는 살다 보면
당장 해결할 수 없는 아픔을 만나기도 합니다.

당장 해결할 수 없는 아픔을 만났다면
지금은 이겨낼 힘이 없다면
다시 힘이 날 때까지 기다려주면 좋겠습니다.

넘어졌다면 바로 일어서려 하지 말고

다시 일어설 수 있는 힘이 생길 때까지
기다려주면 좋겠습니다.

당신이 당신을 포기하지 않고 기다려준다면
걱정했던 것보다
훨씬 잘 아픔을 딛고
일어서게 될 거라 생각합니다.

슬퍼하는 아이를 만났다면

슬퍼하는 아이를 만났다면
가만히 꼭 안아주고

자신감을 잃은 아이를 만났다면
앞으로 얼마나 많은 일을 해낼 수 있는지
차근차근 말해 줘야 합니다.

길을 잃은 아이를 만났다면 길을 찾을 때까지
곁에 있어 주고

마음이 다친 아이를 만났다면
좋아하는 것을 주며
다시 웃음을 찾을 수 있게 달래 주어야 합니다.

그 아이가 세상에 태어나
많은 슬픔과 힘든 일을 겪어나가겠지만
당신이 언제 어디서든 그 아이의 편이 되어 준다면

그 아이는 덜 상처받으며
덜 두려워하며
덜 걱정하며
더 많이 웃으며 살아갈 것입니다.

그 아이는 서툴 수밖에 없는
조금씩 어른이 돼가고 있는 '나'입니다.

많은 고통이 너를 아프게 할 것이다

겨울은 춥고

가을은 차고

여름은 아주 많이 무더울 것이다.

봄은 너무 짧을 것이다.

어떤 사람은 이유 없이 너에게 상처 줄 것이다.

사랑했던 사람은 이해하지 못할 이유를 대고
떠나가기도 할 것이다.

인생에서

행복한 순간은 짧게 느껴지고

고통의 시간은 길게 느껴질 것이다.

열심히 노력하기 힘든 날에도
힘을 내 열심히 일해야 하고
열심히 했지만
원하는 결과를 받지 못하는 날도 있을 것이다.

인생은 많은 고통을 너에게 줄 것이다.

그러나 너는 그 속에서 누군가를
세상에서 가장 행복하게 해주고
너도 그 속에서 가장 큰 행복함을 느낄 것이다.

당신이 어릴 때 당신의 어머니는
당신의 손을 잡고 걸으며
추운 날씨 속에서 큰 행복을 느꼈을 것이다.

그리고 당신도 당신이 사랑하는 누군가가
당신의 손을 잡아 주었을 때
가장 큰 행복함을 느꼈을 것이다.

당신이 누군가의 손을 잡아주고
누군가 당신의 손을 잡으며

우리는 고통도 있지만
함께 많은 행복을 느끼며 살아갈 수 있을 것이다.

그러니 오늘

어떤 슬픔을 만났다 해도

너무 슬퍼하지 마라.

내일은

사랑하는 이와 활짝 웃을 수 있는 행복이 기다릴 테니.

심각한 무기력의 상태

심각한 무기력의 상태는
좋아하는 게 없어 무기력해진 게 아니라
좋아하는 게 있지만
그조차도 하기 싫어진 마음의 상태입니다.

왜 그런가 생각해보면

지쳤기 때문일 수도 있지만
충분히 쉬고 난 이후에도 해야 할 일을 미루게 되고
아무것도 하기 싫고
계속해서 마음이 불안해지는 무기력한 상황이 반복된다면

지금은 지쳐서도 아니고 좋아하는 게 없어서도 아닌

지금은 많이 외로워서 일 수 있습니다.
많이 외로워지면 무기력해집니다.

오랫동안 아무도 나의 지쳐 있는 마음을 알아주지 않았다면
나의 힘듦을 알아주지 않았다면
나의 속상함을 알아주지 않았다면
내가 짊어진 짐의 무게를 아무도 알아주지 않는다면

혼자라고 생각될 때
의욕을 잃게 됩니다.

앞으로도 계속 혼자일 것 같은 기분

연극배우가 연극을 하는데
관객석이 텅 비어 있다고 생각해 보세요.
공연을 보는 사람이 아무도 없는 것입니다.
그럼 홀로 공연을 할 의욕이 나지 않습니다.
그 순간 무기력이 찾아옵니다.

우리는 삶에서 아무도 만나고 싶지 않을 때

삶에서 가장 큰 외로움이 찾아오고
그 순간 가장 큰 무기력도 함께 찾아옵니다.

그럴 때는

내 삶에 가꾸고 싶은 나무를 찾아 가꿔 보세요.

여기서 나무란 그냥 바라보면 좋은 일입니다.

그렇게 내 삶의 나무를 가꾸다 보면

분명 어느 날

누군가 또 찾아올 겁니다.

그럼 그때 당신이 외로웠던 일도
나무를 가꿨던 일도

지금 당신의 이야기를
솔직하게 들려주세요.

자신의 솔직한 이야기를 할 수 있는 사람만이
진정으로 함께 할 사람을 곁에 둘 수 있습니다.

그러다 보면

당신의 지난 이야기를 가만히 들어주고
앞으로의 삶의 무대를 바라보고 응원하는 사람을 만나
무기력에서 벗어날 거라 믿습니다.

연락

연락을 잘하는 사람이 있고
연락을 잘하지 않는 사람이 있습니다.

연락을 잘하는 사람은 시간이 지나
연락을 잘하지 않는 사람에게 서운해집니다.

하지만 연락을 잘하지 않는 사람도 입장이 있습니다.

핸드폰을 계속 보면서 연락을 자주 하는 것이
본인에게는 잘 맞지 않을 수도 있고
아니면 지금은 혼자의 시간이 필요하거나
당장은 연락할 마음의 여유가 없거나 지쳐있어
다른 사람에게 쓸 에너지가 없어서일 수도 있습니다.

그래도 서운해하는 상대방을 생각해
억지로라도 연락을 해보지만
계속 연락하기가 어렵다고 느껴지면

또다시 하지 않게 되고

그렇게 되면
연락을 먼저 자주 하는 사람은 서운해합니다.

당신은 어떤 사람인가요?

연락을 자주 하는 사람인가요?
자주 하지 않는 사람인가요?
어떤 사람이든 연락을 자주 하는 게 인생의 정답이고
연락을 자주 하지 않는 게 오답이며
연락을 자주 해야만 나에게 소중한 사람이 되고
연락을 자주 안 하면 소중하지 않은 사람이 되는
그런 정해진 건 없습니다.

물론 더 자주 연락하면
연락에 익숙해지는 건 있지만

그것과 마음이 지속하는 건 별개의 문제입니다.

그래서 연락에 너무 집착하지 않는 것이 좋을지 모릅니다.

그래도 만약 연락이 잘 안 되는 게 서운해서
연락을 자주 할 수 없는 사람은 보지 말아야겠다
생각이 든다면
당신은 연락을 자주 하는 사람만 삶에서 만날 수 있게 됩니다.
그것이 당신 인간관계의 정답이 됩니다.

상대의 마음이 어떤지
상대의 상황은 어떤지
상대에게 정말 무엇이 필요한지는 전부 배제됩니다.

하지만 그렇지 않다고 하면
연락에 큰 의미를 두지 않는 것이
훨씬 자유롭고 좋을지 모릅니다.

그냥 사람 자체에
의미를 두는 것이 훨씬 더 좋을지 모릅니다.

“아 이런 사람이구나
이 사람에게는 이 속도가 더 잘 맞는구나
앞으로 이 속도로 함께 걸어가면 되겠다.”

•

자존감이 높은 사람의 특징

1. 상대를 바꾸려 하지 않고 있는 그대로 인정한다.
다름을 인정하는 것이다.

2. 자신의 부족한 모습을 미워하지 않고
있는 그대로 받아들이고 원치 않는다면 고쳐 나간다.

3. 원하는 대로 되지 않았어도 여유가 있다.
불안한 사람은 원하는 대로 되지 않으면
큰 분노를 느낀다.

4. 좋은 관계를 맺기 위해 크게 노력하지 않는다.
관계를 맺고 싶다면 맺고 맺기 싫다면 맺지 않는다.
누가 어떻게 바라볼까를 생각하기보다는
자신을 중심으로 행동한다.

•

자존감을 높이는 방법

혼자가 되는 것
슬퍼하는 것
멀리 떠나 보는 것
힘들다면 힘들다고 말하는 것
새로운 것에 도전해보는 것
좋아하는 길을 걷는 것

지금 내 마음이 원하는 것을 해주는 것

•

이상한 사람 곁에 있으면 이상해진다.

총명한 사람 곁에 있으면 총명함을 닮는다.

너무나도 단순한 진리지만
꼭 기억해야하는 사실이다.

•

'나' 중심적으로 산다는 건 굉장히 건강한 것입니다.

내가 배려하고 싶으면 배려하고

내가 그만하고 싶으면 그만하고

내가 맞춰주고 싶으면 맞춰주고

내가 피하고 싶으면 피하고

•

이기적인 것과 '나' 중심적으로 산다는 건 다른 것입니다.
이기적인 것은 다른 사람에게 피해를 주고
자신의 이득을 취하려고 하는 것이고
'나' 중심적으로 산다는 건
다른 사람에게 피해 주지 않는 선에서
나에게 내 삶에 선택권을 주는 것입니다.

우울함

살다 보면 우울함이 찾아온다.
우울함이 오는 이유는 생각보다 간단하다.

너무 오랫동안 새로운 것을 경험하지 않고
익숙한 것만 했기 때문이다.

시간이 지나도 우울함이 사라지지 않는 건
잘하지 못할까 봐
또는 시간이 없다는 이유로 새로운 것에 도전하지 않거나
몇 번 도전하고 잘하지 못하면
스스로 실패자로 생각해 도전하지 않거나
도전해본 게 하기 싫은 일인데도 불구하고
남을 의식해 포기하면 끈기 없는 사람이 될까 봐
하기 싫은 것을 억지로 하고 있어서
새로운 것을 도전하지 못해 우울한 것일 수 있다.

변하지 않는 사실

뭐든지 해봐야지만 알 수 있다.

나를 함부로 대하는 사람은 끝까지 함부로 대한다.

진짜 힘든 건 싫은데도 계속해야 하는 일이다.

아주 잠시여도 좋다.
좋아하는 걸 만나고 오면 큰 힘이 된다.

인생은 생각보다 훨씬 짧으며
생각보다 내가 원하는 것을 훨씬 더 많이 해도 되며
그리고 훨씬 더 실패에 연연하지 않아도 된다.

씩씩하게 말해라

나는 존중 받아도 되는 사람이다

할 말을 하면서 눈치 보지 마라

즐겁게 살아야 한다

겁먹을 것 없다

어떤 일에도

너무 오래 힘들어할 필요는 없다

자유로운 삶

내가 갖고 싶은 것을 갖기 위해
져야 할 짐을 진다는 건
자유로운 삶을 살아가고 있는 것이다.

그러나 무언가를 갖고 싶기만 하고
짐을 지기 싫다면 그건 불공평한 생각이며
세상에 그럴 수 있는 건 없다.

내가 갖고 싶은 게 있어서 선택해 놓고
갖고 싶은 게 있지만 거기에 따르는 짐은 지기 싫을 때

스스로가 어쩔 수 없이 짐을 져야 하는 거라고 생각하면서
자신의 삶을 불쌍하게 불행하게 바라보면 안 된다.

그럴 필요가 없는 것이다.

내가 갖고 싶은 것을 갖기 위해 선택하고

거기에 맞는 짐을 지고 있다면
나는 불쌍하고 불행한 삶을 사는 것이 아니라
자유롭게 살아가고 있는 것이다.

나를 힘들게 하는 것에서 벗어나지 못하는 이유

나를 힘들게 하는 것에서
벗어나지 못하는 이유는
벗어나게 된다면 그보다 더 좋은 것을
만나지 못할 거라 생각하기 때문입니다.

나를 힘들게 하는 사람
나를 힘들게 하는 직장
나를 힘들게 하는 환경
나를 힘들게 하는 가족

그래서 힘들어도 참게 됩니다.

참다 보면 삶이 점점 더 힘들어져 간다는 걸 느낍니다.

우리가 진짜 힘든 건 당장의 힘듦이 아니라
아무리 버텨도 달라질 것이 없을 것 같은
희망이 없는 힘듦입니다.

그러면 그곳을 벗어나 새로운 삶을 살아가면 되는데
왜 힘들어하면서 벗어나지 못할까요?

한 성인 여자가 있습니다.
부모님의 간섭으로 굉장히 힘들어합니다.
그럼 당장 독립할 수 없다면
독립을 준비하여 독립하면 문제는 해결됩니다.
그러나 독립을 생각해도 실행하지 못하며
계속 간섭받으면서 괴롭다고 합니다.

여자는 그곳을 벗어나 새로운 삶을 살면 되지만
새로운 곳을 선택하지 못합니다.
왜냐면 지금 이곳을 벗어나
새로운 곳에서 잘살 거란 확신이 없기 때문입니다.

나를 힘들게 하는 환경에서
벗어나지 못하는 이유는

내가 나를 위해 살아가기보다
타인에게 맞춰 주는 삶에 익숙해졌기 때문입니다.

'나'로서 살아가기보다는
타인에게 맞춰 주며
마음의 안정을 얻는 것에 익숙해졌기 때문입니다.

그래서 나를 힘들게 하는 것에서 벗어나
새롭게 잘 살아갈 수 있다는 믿음과 확신이 없기 때문에
선택하지 못합니다.

그래서 지금 상황이 불안하고 싫지만
불안함이 반복되어
결국 익숙해지게 되고
그곳에서 얻는
아주 잠시의 안정감과 안도감을
유일한 행복으로 생각하며 살아가게 됩니다.

새장 안에 갇힌 새가
불안하고 힘들지만 익숙해져
새장이 자신의 세계에 전부라 생각하며
하루하루 무기력해져 가고 있는지 모릅니다.
당신에게 안정감을 주는
그 불편한 울타리를 벗어나야
당신은 진짜 당신에게 어울리는 세계로 날아갈 수 있습니다.

진짜 당신의 인생과 당신다움을 찾을 수 있습니다.

물론 그 여정은 불안할지 모릅니다.
때론 쉬지 않고 계속해서
새로운 곳을 찾아 날아가야 할지 모릅니다.

길이 보이지 않는 깜깜한 밤의 시간을 날아야 하고
때론 갑자기 찾아온 폭우에 날개가 젖고
길을 잃어버리게 될 때도 있을지 모릅니다.

그러나 그곳에서 당신은 가장 당신답게 숨 쉬며
자유롭게 날며
당신이 진짜 원하는 자신의 삶을 찾아갈 것입니다.

그건 도망이 아닙니다.
포기도 아닙니다.
실패도 아닙니다.

제자리에서 더 높이 날아오르는 것
그건 바로 비상입니다.

더 높이 날아오르게 되는 것
더 넓은 세계를 보게 되는 것

오랫동안 숨이 막히고
자신을 점점 잃어버린 곳에 있다면

이제 자유롭게 비상해야 될 때입니다.

당신의 인생에서 당신을 위한
가장 아름다운 비행이 시작되기를 응원합니다.

당신에게 어울리는 길로 가세요

당신에게 어울리는 사람에게 가세요

당신에게 어울리는 모습이 되세요

어떤 사람을 만나면 좋을까

첫째 말을 부드럽고 예쁘게 하는 사람을 만나면 좋습니다.
말을 부드럽고 예쁘게 한다는 건
기분 좋을 때 하는 말이기도 하지만
기분이 좋지 않을 때 또는 싸운 상태에서
감정이 좋지 않은 상태에서 하는 말을 말합니다.

자신의 감정대로 크게 화를 내는 것이 아니라
말을 부드럽고 예쁘게 하기 위해 노력하는 것입니다.

물론 쉽지 않습니다.
하지만 이렇게 할 수 있는 사람은 문제가 생겼을 때
대화가 가능한 사람입니다.
자신의 기분이 안 좋을 때마다 기분이 안 좋다는 이유로
감정적으로 말하거나 화를 낸다면
평소에 말을 아무리 예쁘고 부드럽게 해도 의미가 없습니다.

정작 문제가 생겼을 때 대화가 안 되고

계속 다투게만 되기 때문에 다툼은 점점 커지게 됩니다.

감정이 좋지 않을 때일수록
감정적으로 상대를 대하지 않으려는 인식을 하고
그렇게 하기 위해 진심으로 노력하는 사람이
지혜로운 사람입니다.

둘째 꿈이 있는 사람을 만나면 좋습니다.
꿈의 크기와 상관없이

자신의 삶을 어떻게 가꿔 나가고 싶다는 꿈이 있는 사람은
자신의 삶을 스스로 책임질 줄 아는 사람입니다.

상대방이 나에게 무언가를 해주길 바라면서
서운해하기보다는
스스로 삶에 원하는 것을 만들어나가기 위해 노력하며
혼자 설 수 있는 사람입니다.

물론 꿈이 있다고 하면서 그 꿈을 위해
아무 노력도 하지 않는 사람은 꿈이 없는 것과 같습니다.

돈이 많고 적고는 중요하지 않습니다.
돈이 많아도 꿈이 없다면
어떻게 살아가고 싶다는 자신의 삶에 방향성이 없고
열정적으로 하는 게 없다면
상대와 반대로 당신에게 꿈이 있다면

상대방과 당신은 자주 다투게 됩니다.
왜냐하면 상대방은 당신의 꿈을
이해하지 못하기 때문입니다.
그래서 당신이 꿈에 쏟는 시간을 자주 서운해하고
당신이 꿈을 위해 노력하느라 힘들어할 때
그 힘듦을 공감받기 어렵습니다.

셋째 무조건 내가 옳다고 생각하는 사람은 위험합니다.

내가 옳다는 생각이 강한 사람일수록 다투게 되었을 때
상대방의 이야기는 듣지 않고
자신의 이야기만 하며
자신의 이야기가 받아들여지지 않으면
대화가 안 된다고 화를 냅니다.

그건 자신만 옳다고 생각하는 것입니다.
그래서 상대를 자신이 원하는 대로 바꾸고 싶은데
마음처럼 되지 않으니 화를 내는 것입니다.
자신만 옳다고 생각하여 자신의 마음대로 하려는 것입니다.

내가 옳아라고 하는 사람보다 둘 사이에 문제가 생기면
두 사람의 관계를 위해 더 좋은 방향으로
바뀔 수 있는 마음을 가진 사람이 좋습니다.

함께하다 보면 다투기도 하겠지만
결국 그 사람은 스스로 문제를 스스로가 먼저 찾으려고 하고 바뀌려는 사람입니다.

다투게 되었을 때 상대를 무조건 탓하기보다는
스스로 문제를 먼저 찾아 바뀌려고 하는 사람은
굉장히 멋있는 사람입니다.

넷째 거짓말하는 사람은 만나면 안 됩니다.
좋은 모습만 보이기 위해 거짓말하는 사람은
아무리 잘생기고 예뻐도 아무리 돈이 많아도
아무리 능력이 좋아도 보기 좋은 무언가를 가졌다고 해도
결국 거짓말로 당신에게 상처를 주게 됩니다.

거짓말을 잘하는 사람은 사람을 속이는 데 능숙하며
그렇기에 함께하면서 많은 것을 속이며
당신에게 자신이 보여주고 싶은 모습만 보여 줍니다.
그래서 만약 그 사람에 대해 제대로 알지 못하고
그 사람이 보여주고 싶은 좋은 모습만 보고

결혼하게 된다면 큰 문제가 됩니다.
삶에서 많은 것을 잃게 될 수도 있습니다.

거짓말을 자주 하는 사람은
용기가 없는 사람입니다.

겉으로 보기에는 어떻게 보일지 몰라도
굉장히 나약하며 불안한 마음을 가진 사람입니다.

다섯째 나를 바꾸려고 하는 사람이
나에게 가장 맞지 않는 사람입니다.
자존감이 낮은 사람일수록 상대를 바꾸려 합니다.
자존감이 높은 사람일수록 상대를 인정하려 합니다.

상대가 나를 자주 답답하게 생각하거나
나를 바꾸려 하거나
내 모습의 일부분만을 좋아하고

나머지를 바꾸길 원한다면
그 사람은 나를 좋아하는 게 아닙니다.

나의 지금 모습보다
내가 바뀌었을 때의 모습을 더 좋아하는 사람입니다.

그럼 바뀌게 되면 나를 많이 좋아해 줄까요?
아닙니다.

당신이 자신에게 맞춰 주는 모습을 보고
당신을 만나는 것이기에
당신이 바뀌어도 끊임없이 계속 바뀌길 원하며
당신의 문제를 지적합니다.

정말 당신을 위하는 사람은
지금 당신 마음이 어떤지 얼마나 힘든지 살피고
그 마음을 듣기 위해 노력하는 사람입니다.

지속적인 행동을 보면 알 수 있습니다.
그 사람이 진실한 사람인지 아닌지.
나를 사랑하는 사람인지 아닌지.

여섯째 마지막으로 상대에게 무언가를 바라지 마십시오.
상대에게 무언가를 바라는 건 사랑이 아닙니다.
욕심입니다. 사랑한다면 바라지 말아야 합니다.

사랑한다는 건 기다리거나 주거나의 의미에 가깝습니다.
그런데 자꾸 내가 무언가 바라는 걸 상대가 해 줘야지만
당신의 사랑이 완성된다 생각한다면
당신은 그 사람을 사랑하는 것이 아니라
당신이 원하는 모습으로 소유하려는 것입니다.

상대에게 무언가를 바라는 그 일이
당신이 생각하기에 옳겠지만
상대방이 생각하기에는 옳지 않을 수 있습니다.

그런데도 강요하는 건 내 마음만 생각하는 것입니다.

함께하기 위해서는 조율해야 합니다.
조율할 줄 아는 사람을 만나야 하며
당신도 조율할 줄 아는 사람이 돼야
조율할 줄 아는 사람과 함께할 수 있습니다.

함께한다는 건 이렇게 쉽지 않습니다.
왜냐면 위에 말한 좋은 사람을 만나기 위해서는
내가 먼저 그런 사람이 돼야 하기 때문입니다.

사랑이 쉽지 않지만
사랑은 세상에서 가장 따뜻한 추억과 온기를
내게 선물해 줍니다.

사랑은 많은 이해와 배려와 믿음이 필요하기에
어쩌면 사랑한다는 건 내가 이해하고 싶고 배려하고 싶고 믿고 싶은 사람을 만나는 것일지 모릅니다.

앞으로 당신이 걸어가는 길에
좋은 향기와
좋은 미소와
좋은 마음을 가진 사람이 함께하길 바랍니다.

사랑은 오랫동안 가만히 바라보는 일

사랑은 오랜 시간 곁에 있어 주는 일

사랑은 같이 울어 주는 일

사랑은 재밌는 이야기를 들려주는 일

사랑은 가만히 안아 주는 일

사랑은 눈이 오면 같이 아이처럼 즐거워하고
비가 오면 같이 눈을 감고 빗소리를 듣고
날씨가 좋은 날은 같이 손을 잡고 걷는 일

사랑은 상대방이 주는 것을 당연하게 생각하지 않고
고맙다고 자주 말해 주는 일

사랑은 두 사람의 시간을
하나의 예쁜 시간으로 만들어가는 일

사랑은 내 인생을 더 아름답고 빛나게 해 주는 일

잘해주고 자주 상처받는 사람

사람들에게 잘해주고 상처받게 되면
처음에는 상대를 미워하다가도
상처받는 시간이 반복되면
내가 별로인 사람인 것 같아 마음이 힘들어집니다.

직장에서든 친구 관계든 연인 사이에서든
어디든 사람 관계는 있습니다.

같은 공간에 여럿이 있는데
사람들에게 잘해주기 위해 계속 노력하는데도
나만 못 어울리는 것 같고
인기가 없는 것 같거나
또는 믿고 마음을 털어놓았던 연인이나 친구가
점점 멀어지는 것 같을 때 자신을 탓하게 됩니다.

그럴수록 더 조바심이나
관계에서 더 눈치 보게 되고

관계에서 약자가 되며
사람들에게 더 잘해주지만
상처받는 사람은 항상 내가 됩니다.

그래서 이런 생각을 하게 됩니다.
'그래. 모든 사람에게 잘해줄 필요 없어.
진짜 내 사람들한테만 잘해주면 돼.'

그런데 시간이 지날수록
이제는 가까운 사람들에게까지 서운해집니다.

내가 왜 그런 걸까요?

관계를 할 때 사람들에게 잘해주고
처음에는 관계가 좋지만, 시간이 지날수록
서운해지는 게 많아지고 자주 실망하게 되고
내가 마음에 거리를 두는 상황이 많다면

그렇게 되는 이유는
내가 혼자 설 수 없는 사람이어서 그렇습니다.

자존감은 혼자 설 수 있는 마음입니다.
자존감이 높을수록
누군가가 나에게 뭘 해주길 바라는 마음이 적어집니다.
실망하거나 서운한 게 적어집니다.
혼자 설 수 있기 때문입니다.

그러나 혼자 설 수 없으면
타인이 내가 원하는 무언가를 내게 채워주길 바라게 되고
상대가 내가 원하는 모습이 되어주기를 바랍니다.

그래서 자존감이 낮은 사람일수록
네 가지 중 하나의 행동을 자주 하게 됩니다.

1. 지나치게 상대방에게 맞춰 주고 잘해 주거나

2. 지나치게 상대방에게 엄하게 하여 통제하려 하거나

3. 아니면 애초 깊게 다가오지 못하게 차갑게 대하거나

4. 지나치게 상대방의 인생에 간섭하거나

위에 네 가지 중 하나의 행동을 함으로써

상대를 내가 원하는 모습으로 행동하게 하여

상대에게 내가 얼마나 소중한 사람인지
필요한 사람인지 영향이 있는지 확인하려는 것입니다.

그게 내가 원하는 방향으로 확인이 되면
내가 필요한 사람이라는 인식이 들어
불안했던 마음이 사라집니다.

그러나 반대로
상대가 내가 원하는 모습처럼 행동하지 않을 경우
크게 불안해집니다.

상대가 내가 원하는 행동을 해주길 바라는 마음으로
상대에게 기대고 있는 것입니다.

그래서 위의 네 가지 행동 중
지나치게 내가 잘해 주고 맞춰 주는 행동을 하고 있다면

내가 타인에게 신경을 많이 쓰고 잘해 주다가도
내가 바라고 원하는 행동을 상대가 해주지 않으면
크게 서운해지고 상처받게 되고 불안해집니다.
그래서 인간관계가 어렵다고 느끼고
사람 만나는 게 버겁게 느껴지고 지칩니다.

타인이 나에게 하는 행동을

내가 보기에 좋은 모습으로 바꾸기 위해

타인에게 온 신경을 쓰고 맞춰 주거나 잘해 주거나
아니면 반대로 엄격하게 하거나 간섭하거나
아니면 내가 상처받지 않게 내가 차가운 가면을 쓰거나

상대를 내가 원하는 모습으로 바꾸려 하게 됩니다.

상대가 내가 기대한 모습으로
내가 바라는 모습으로
행동하지 않으면
서운해지고 실망하고 지치게 됩니다.

내가 무능해서
내가 더 잘하지 못해서
내가 매력이 없는 사람이라 생각해서
상대가 바뀌지 않는 거라

생각하며 자책합니다.

'그 사람이 나를 어떻게 바라봐 주면 좋겠어.'
'그 사람이 나에게 무언가를 해 주면 좋겠어.'
'그 사람이 어떻게 바뀌었으면 좋겠어.'
'그 사람이 어떤 모습이었으면 좋겠어.' 이런 마음들입니다.

기대하는 마음으로 상대에게 기대고 있는 것입니다.

혼자 설 수 있을 때
관계에서도 나아가 삶에서도 자유로워질 수 있습니다.
혼자 선다는 건
상대가 내가 원하는 모습이 되길 바라는 게 아니라
기대하지 않고 상대를 있는 그대로 바라보고
내가 주고 싶은 만큼만 주면서
바라는 게 없으니
나도 내가 편한 모습으로 상대를 대하는 것입니다.

그럼 내게 남는 사람도 있고 떠나는 사람도 있습니다.
자연스러운 것입니다.

혼자 설 수 없는 이유는 보통 두 가지 경우입니다.

1. 어릴 때 부모의 기대로 너무 억압되거나
아니면 엄함으로써 억압되거나

2. 반대로 부모님이 너무 바쁘거나
부모님 사이가 좋지 않아
내가 방치되었다고 하면

내 마음을 알아주는 사람이 없었고
내 마음을 알아주는 사람이 없었던 결핍으로 인해
(결핍- 가지고 있지 않아 많이 채우고 싶은 마음)

커서 인간관계를 하면서

타인이 내 마음을 알아주길 바라는 마음이 크게 나타나게 돼서 기대게 되는 것입니다.

그리고 기대는 만큼
자주 실망하고 서운해지게 되는 것입니다.
(기대는 이유는 혼자 설 수 없기 때문에)

그래서 타인에게 기대는 성향의 사람은
외로움을 많이 타고
어른이 돼서 애정을 받고 싶다는 생각이 많이 들고
주위에 항상 사람이 많아야 한다 생각하고

(그러다 지쳐버리면 반대로
아예 혼자가 돼버릴 수도 있습니다.
혼자가 돼서도 혼자 서지 못하면
늘 불안한 마음을 가지게 됩니다)

누군가 내 마음을 조금만 알아줘도 굉장히 기분이 좋고
내 마음을 알아주는 사람이 없다면 또 금세 우울해집니다.

또 지금 곁에 있는 사람이
내 마음을 알아주지 못하는 것 같다면
크게 서운하고 크게 외로움을 느끼게 됩니다.

옆 사람이 가장 힘들 것 같지만
사실 이러는 '내가' 제일 힘듭니다.
마음이 꼭 자주 전쟁터 같기 때문입니다.

혼자 설 수 있어야
혼자 있을 때도 함께 있을 때도
마음이 평온하고 건강하게 살아갈 수 있습니다.

혼자 설 수 있는 방법은 크게 세 가지가 있습니다.

1. 어려워도 잘하지 못할 것 같아도
내가 하고 싶은 일이나 목표한 일은
끝까지 해보는 데 집중하는 것입니다.

나중에 포기하더라도 끝까지 해보는 것입니다.
처음에는 하고 싶었는데 잘하지 못할까 봐
자꾸 시도하지 않고
시간을 낭비하는 것 같아 시도하지 않고
잘 못 하는 것 같아 포기하면

시간이 지나
내가 좋아하는 일
내가 잘하고 싶은 일이 하나도 없기에

혼자 서기 어렵습니다.

공허한 마음을 다시

상대방이 나에게 어떻게 해주면 좋겠다는 생각으로
채우게 되고
기대게 되고
지치게 되고
서운해집니다.
편안한 느낌으로 관계를 하기 어렵습니다.

2. 내가 나를 관리해보는 것입니다.
타인만 신경 쓰다 보면 나에게 집중하기 어렵습니다,
그럼 시간이 지날수록
내가 보기에 좋은 내 모습으로 변해 가는 것이 아니라
내가 상대에 맞게 변질될 수 있습니다.

나를 내가 보기에 좋게 관리해 나갈 때
누구에게도 의지하지 않고 혼자 설 수 있습니다.

3. 나의 실수나 문제에

너무 엄격해지지 않는 것입니다.
내가 인정한 실수나 문제는 고쳐나가지만
너무 엄격해지지 않는 것입니다.
너무 엄격해진다는 건
실수 하나하나에
너무 큰 의미를 두고 힘들어하는 것입니다.

그럼 나중에는 실수하는 자신을 보는 게
너무 힘들어 실수할 때마다 불안해지게 되어
결국 아무것도 하기 싫어지거나
새로운 것 앞에서 두려움이 앞서
할 수 있는 것도 시도하지 않고 안 하게 됩니다.
그럼 스스로 혼자 무언가를 시작한다는 것에
의욕을 잃어버리게 되고
혼자 서기 어려워집니다.

세 가지 방법을 소개한 건

내가 혼자 설 수 없게 된 이유는
어릴 때 너무 억압되었거나 방치되어서입니다.

그래서 위의 세 가지 방법

목표한 일로 나아가는 연습
스스로 보기에 좋게 관리하는 것
너무 엄격해지지 않는 것

세 가지 방식을 지켜나갈수록
세 가지 방식들이
내가 내 삶에 관심과 사랑을 갖게 해주어
혼자 설 수 있는 사람으로 도와줄 거라 생각합니다.

어떤 선택을 해야 할지 모르겠다면

내가 미래에 되고 싶은 모습을 선택하세요

미래에 되고 싶은 모습은

앞으로 내가 살고 싶은 삶의 모습은

지금의 선택이 만듭니다

인생

비행사가 되고 싶다는 사람은 많았지만
비행사가 되기 위해 도전하는 사람은 많지 않았다.

잘할 수 있는 실력을 갖고 싶다는 사람은 많았지만
실력을 갖기 위해 모든 시간을 쏟는 사람은 많지 않았다.

사랑한다고 말하는 사람은 많았지만
생각이 달라 사랑하는 사람과 크게 다투게 될 때
먼저 미안하다고 말하는 사람은 많지 않았다.

삶에 경험이 중요하다고 말하는 사람은 많지만
실패를 경험으로 받아들이고
실패를 쌓아가며
원하는 성공의 방향으로 계속 나아가는 사람은 많지 않았다.

게으른 자신을 바꾸고 싶어 하는 사람은 많았지만
정작 게으름 앞에서 생기게 되는 핑계를

독하게 이겨 내는 사람은 많지 않았다.

가슴 뛰는 삶을 살고 싶어 하는 사람은 많았지만
가슴 뛰는 일을 찾기 위해 노력하는 사람은 많지 않았다.

어떻게 살고 싶은가와 어떻게 살아가고 있는가는 다르다.

당신이 오늘 살아가고 있는 모습이 곧 당신의 인생이 된다.

인생을 바꾸고 싶다면 오늘을 바꿔야 한다.

오늘 자신의 모습을 바꿀 수 없는 사람은
앞으로의 인생도 바꿀 수 없다.

자신을 바꾼다는 건 누구에게나 어려운 일이다.

그러나 어려워도 할 때

나는 삶에서

내가 원하는 빛을 내며 살아갈 수 있게 된다.

최고의 강연가에게 물었다

강연을 잘하는 방법이 무엇인가요?

최고의 요리사에게 물었다.
요리를 잘하는 방법이 무엇인가요?

최고의 운동선수에게도 또 다른 최고에게도
물었을 때 돌아오는 대답은 모두 하나였다.

"누가 뭐라고 하든 묵묵히 나의 길을 계속 가는 것"

묵묵히 자신의 길을 계속 가는 사람은
결국 자신만의 길을 만들어 낸다.

감정 기복에서 벗어나는 방법

감정 기복이 심한 사람은
자신의 감정을 자신이 잘 정하지 못하고
외부의 영향으로 인해 감정이 정해지는 사람입니다.

외부란 타인입니다.
타인에 의해 내 감정이 크게 좌지우지되는 사람입니다.

타인이 나에게
상처 주지 않기 바라는 마음이 크고
자신이 남들이 보기에
실수하면 안 된다는 마음도 큽니다.

왜냐하면 타인이 나를 어떻게 보느냐에 따라
내 감정이 정해지기에

지나치게 완벽하려고 하는 사람
지나치게 좋은 사람이 되려고 하는 사람

지나치게 다른 사람을 바꾸려는 사람
지나치게 상대에게 잘해주는 사람
지나치게 잘하지 못했을 때 자책하는 사람

모두 타인으로 인해 감정이 자주 정해지는 사람입니다.

그럼 어떻게 해야 좋을까요?
나의 감정을 내가 정할 수 있을까요?
내 기분을 내가 정할 수 있을까요?

그렇게 되기 위해서는
타인이 나를 어떻게 바라보느냐에 따라
내 감정이 크게 흔들리지 않은 사람이 돼야 합니다.
그래야 내 감정과 내 기분을 스스로 정할 수 있습니다.

내 감정을 내가 정하는 방법은 세 가지가 있습니다.

첫째 내가 지금 내 감정을 정하지 못한다고 하면
내가 그렇다는 걸 '인지' 하는 것입니다.

둘째 내가 지금 모습에서
더 좋은 모습으로 변화하고 싶다는 '의지'가 필요합니다.

이 두 가지가 가장 중요합니다.
이 두 가지가 없다면
나는 계속 감정 기복이 심한 채 살아가며
내 감정이 타인에 의해 정해져
내가 원하는 삶을 살아가기 어렵습니다.

이 두 가지가 준비되었다면

셋째 현재에 내 기분을
내가 좋을 수 있게
만드는 연습이 필요합니다.

지금 감정이 우울하다면
'나는 어떻게 하면 좋을 수 있을까?'로 시작해
내 감정이 좋아질 수 있게
내가 채워 보는 것입니다.

한 번에는 잘 안 되겠지만
천천히 조금씩
연습이 필요합니다.

아주 사소한 것도 되고
거창한 것도 좋습니다.
일상에서 찾아도 되고
일정을 잡고 특별한 경험을 해봐도 좋습니다.

지금 내 감정이 좋아질 수 있게
내가 채워보는 것입니다.

그러나 그렇게 하지 않고
상대방이 어떤 모습이 되어 주거나
어떻게 행동해 주어 내 감정이 좋아지길 바라면

나는 상대에 작은 말과 행동 하나하나에
감정 기복이 심해집니다.
그럼 앞으로 내 감정을 내가 정하기 어려워집니다.

내가 지금 그렇다면
늦지 않았습니다. 지금부터 시작하면 됩니다.

오늘 감정 기복이 심한 나를 만났다면
나에게 물어봐 주세요.

"나는 어떤 걸 하면
내 감정을 좋게 채워나갈 수 있을까?"

•

너무 힘들게 하는 생각은 내려놓고
너무 힘들게 하는 사람도 내려놓고
너무 힘들게 하는 목표도 내려놓고

할 수 있는 만큼만
질 수 있는 짐만큼만 지고 살아가도 됩니다.

•

괴로운 이유는 다른 사람 인생에
너무 깊게 관여하는 습관과

내 인생을 성장시키는데
너무 오랫동안 시간을 쓰지 않은 일.

그럼 내 모습도 마음에 안 들고
내가 관여하는 사람도 마음에 들지 않아
인생이 괴롭습니다.

•

사실 예민해지면 주위 사람도 힘들지만

예민해져 본 사람은 안다

스스로가 얼마나 괴롭고 힘든지

•

마음이 부정적인 상태는

마음이 지쳐있는 상태와 같다.

마음이 지쳐있는 상태는

마음이 예민한 상태와 같다 .

마음이 예민해진 상태는

마음이 많이 힘든 상태이다 .

이런 상태가 되는 이유는

내 삶에서 내가 원하는 게 뭔지 모르겠을 때

내가 원하는 일들이 잘 안될 때이다.

예민해지면 힘든 이유

예민해지면 가까운 사람들에게
상처 주는 일들이 많아집니다.

멀리 있는 사람에게는
최대한 힘을 내어 예민함을 숨기지만

가까운 사람에게까지 가면을 쓰고 싶지 않아
또는 가까운 사람에게 더는 숨길 힘이 없어

원치 않게 날카로운 모습으로 대하게 되고
나로 인해 상처받는 상대의 모습을 보며 자책하게 되어
날카로운 마음이 자신을 또 찌릅니다.

예민함이 힘든 건
단순히 민감하게 반응하게 돼서가 아닙니다.
민감하게 반응하는 건 때론 좋은 점이 될 수 있습니다.
남들이 보지 못하는 걸 보고 더 깊게 공감하고

예민함이 힘든 건
예민해져 있기에
마음의 여유가 없어

작은 일에도 화가 나고
작은 일에도 지치고
작은 일에도 서운하고
작은 일에도 엄격해집니다.

그래서 나에게 작은 부정적인 말도
크게 공격적으로 들리고 별일 아닌 일에도
부정적으로 반응하게 되어 상대에게 상처 주게 되고
시간이 지나 그런 자신의 모습이 싫어
후회하며 힘들어합니다.

내가 지금 너무 예민해졌다면
나를 예민하게 하는 것에서

멀어지는 것이 가장 좋습니다.
그럼 자연스럽게 예민함은 줄어듭니다.

하지만 그게 어렵다면
억지로 밝은척하지 말고
주위 사람들에게 솔직하게 말하기를 추천합니다.

"내가 지금 예민한 상태라...
밝은 표정으로 있거나 환하게 웃는 게 어려울 것 같아.
지금은 예민하니까 조금만 힘을 빼고 있을게.
그리고 시간이 지나면 괜찮아질 거야.
그때 또 환하게 웃을게."

그렇게만 말해도 주위 사람들은
당신의 예민한 모습이 이해됩니다.

그럼 예민함을 당장 지울 수는 없지만

예민한 지금 이 시기를
누군가와 부딪히지 않고
잘 지나갈 수 있지 않을까 생각합니다.

예민해졌을 때 상대와 부딪히면
결국 더 큰 상처를 받는 건 자신입니다.
이 시기는 삶에서 자신을 가장 많이 자책하게 되고
가장 많은 상처를 받는 시기입니다.

나에게 필요한 3가지 능력

걱정을 멈추는 일

새로운 것을 도전하고 지속하는 일

타인의 말에 흔들리지 않는 일

줄 수 있는 만큼만 주는 것이 사랑

줄 수 있는 만큼만 주는 것이 사랑입니다.
줄 수 있는 것보다
더 많이 주게 되면 희생이 되고
희생은 바램을 만듭니다.
바램이 지속되면 서운함을 만들고
서운함이 지속되면
관계가 편안하게 지속되기 어렵습니다.

지금 누군가에게 서운하고 무언가를 바라고 있다면
내가 줄 수 있는 것보다
훨씬 더 많이 주고 있다는 증거입니다.

내가 그렇게 많이 주는 건
불안하기 때문입니다.
관계가 깨질까 봐. 떠날까 봐.

그러나 기억하세요.

줄 수 있는 만큼만 줘도 남게 될 관계는 남게 되고
많은 것을 줘도 떠날 관계는 떠나게 됩니다.

이해

상대를 배려하기 위해 노력했지만
배려하지 못한 적도 많았다.

상대에게 잘해주기 위해 노력했지만
잘해주지 못한 적도 많았다.

상대에게 말을 조심하기 위해 노력했지만
조심하지 못한 적도 많았다.

상대에게 상처 주지 않기 위해 노력했지만
상처 준 적도 많았다.

그래서 앞으로는 상대를 조금 더 이해해보기로 했다.

내가 노력해도 잘 안될 때가 있었던 것처럼
어쩌면 상대도 나에게 잘하기 위해 노력했지만
그게 잘 안될 때도 있을 테니까.

죄의식

어떤 남자가 지나가다
다른 사람의 발을 밟았습니다.
발을 밟은 사람은 미안한 마음에
뒤돌아서 후회했습니다.

조금 더 조심할 걸
조금 더 천천히 갈 걸
조금 더 신경 써서 걸을걸

그리고 그다음 날에도 같은 후회를 했습니다.

그리고 다음 날에도 같은 후회를 했습니다.

그리고 다음 날에도...

그리고 그다음 날에도

그리고 그다음 날에도

그리고 그다음 날에도

그리고 생각했습니다.
내가 행복하지 않은 이유는 내가 이렇게 괴로운 이유는
상대방의 발을 밟는 실수를 했기 때문이라고.
발을 밟지만 않았다면 자신은 지금 행복했을 거라고.

그리고 오랜 시간이 지나

이번에는 친구와 대화에서
자신을 무시하는 친구에게
자신이 하고 싶은 말을
제대로 하지 못한 것 같아
자신이 바보같이 느껴져 자책하였습니다.

그래서 뒤돌아서 후회했습니다.

'그 말을 할걸...
왜 내 생각을 말하지 못했을까
조금 더 내 주장을 얘기할걸.'

남자는 뒤돌아서 후회했습니다.

그리고 그다음 날에도 같은 후회를 했습니다.

그리고 다음 날에도 같은 후회를 했습니다.

그리고 다음 날에도 같은 후회와 자책을 했습니다.

그리고 다음 날에도

그리고 다음 날에도

그리고 생각했습니다.
내가 행복하지 않은 이유는 내가 이렇게 괴로운 이유는
상대방에게 내가 해야 할 말을 하지 못했기 때문이라고.
그 말만 하지 않았다면 자신은 지금 행복할 거라고.

그 사람이 괴로운 건
발을 밟아서
해야 할 말을 하지 못해서
계속 괴로운 것이 아닙니다.

실수한 자신을
용서할 줄 모르는 사람이어서 괴로운 것입니다.

이것을 죄의식이라고 합니다.
죄의식이 큰 사람은 같은 잘못에도
도돌이표처럼 상황을 되짚으며 훨씬 오랫동안
자신을 미워하고 자책합니다.

자책은 끝이 없습니다.
자신을 용서하지 않습니다.

지금 당신이 어떤 과거의 후회로 너무 괴롭고 힘들다면
후회하느라 삶이 너무나 버겁고 힘들게 느껴진다면
멈추지 않고 생각이 계속 든다면

과거의 그 사건 때문이 아니라
내가 원하는 모습처럼 행동하지 못한
나를 용서하지 않아 괴로운 것입니다.

이제는 실수한 나를 용서해 주세요.

그동안 정말 충분히 많이 힘들어했잖아요.

마음이 만든 감옥에 갇혀
오랫동안 아무것도 즐겁게 하지 못하고

해야 할 일에 집중하지 못하고
삶이 너무 괴로웠으니까
충분히 힘들어했다면
이제는 죄의식에서 벗어나

새로운 오늘을 살아갈 수 있었으면 좋겠습니다.

오늘을 제대로 산 사람만이
과거의 후회를 만회할 기회를 가질 수 있고
바라는 새로운 꿈도 다시 만들어 갈 수 있습니다.

그동안의 내가 행복하지 못했다면
내일의 나는 행복할 수 있었으면 좋겠습니다.

이제 그만 죄의식에서 벗어나
나를 용서해 줘도 괜찮습니다.

지금을 사세요

미래에 어떤 일이 있을까 봐
계속 걱정하며 미래를 살지 마세요.

지금을 충실히 사세요.

지금 해야 될 공부에
지금 해야 될 일에
지금 해야 될 노는 것에
지금 해야 될 휴식에

지금을 충실히 사세요.

미래에 어떤 일이 다가와도
지금을 충실히 살아가는 사람은
모두 이겨 낼 수 있습니다.

너무 조급해하지 마세요

당신의 속도로 계속 가다 보면

당신이 보고 싶고

만나고 싶은 것을

하나씩 만나게 될 거예요

많이 무서웠겠다.

아무한테도 말하지 못하고

혼자 많이 무서웠겠다.

그래서

그렇게 열심히 살아온 거구나.

뭐든 해내지 않으면

안되었기에.

힘든 일을 만나도
슬픈 일을 만나도
두려운 일을 만나도

피하지 못하고

계속 앞으로 걸어서 여기까지 왔구나.

잠시라도
햇살이 좋은 곳에 앉아
눈을 감고
아무것도 하지 않은 채
따뜻한 차를 마시면서
이 시간에 기대어
쉴 수 있었으면 좋겠다.

견뎌온 시간이 많아
많이 힘들었겠다.

감정 기복이 심한 사람 곁에 있으면

감정 기복이 심한 사람 곁에 오래 있으면
나도 같이 감정 기복이 심해집니다.

상대가 기분이 좋을 때 같이 웃고 얘기하다가도

상대가 나와 상관없이 자신이 기분이 좋지 않으면
갑자기 표정과 말투가 어두워진다면
옆에 있는 나도 편하게 계속 웃으며 얘기하는 게 어려워
같이 어두워집니다.

상대로 인해 어두워졌는데
갑자기 상대가 밝은 모습으로 나를 대하면
나만 계속 어두워져 있을 수 없으니
나도 상대를 밝게 대합니다.

이런 시간이 반복되면
감정 기복이 심한 사람 옆에 있는 사람도

같이 감정 기복이 심해져 힘듭니다.

나의 하루 기분이
상대의 기분으로 정해지는 것 같아
굉장한 스트레스를 받습니다.

스트레스가 쌓이는 이유는
어쩔 수 없는 불편한 상황을 계속 참게 될 때입니다.

나는 오늘 기분이 좋고 평온했는데
옆에 있는 사람이 갑자기 어두워져
나도 같이 어두워지게 되고

시간이 지나 상대가 밝아지면
나 혼자 어둡게 있을 수 없으니
또 밝은 기분에 맞춰 주다 보면

그 사람으로 인해
내 마음이 점점 불안해지고 있다는 걸 느낍니다.

당신이 감정 기복이 심한 사람 옆에 있다면
그 사람이 우울해한다면 처음에는
기분을 풀어 주려고 할 겁니다.

그러나 그 사람이 시도 때도 없이 우울해지는 사람이라면

당신은 그 사람을 풀어주려고 할수록
스스로 점점 지쳐가는 것을 느낄 것입니다.

그래도 그 사람과 함께해야 한다면
무신경해지는 게 좋습니다.
그 사람의 기분을 계속 신경 쓰면 쓸수록
내 마음은 지쳐가고
나도 같이 우울해지고 불안해집니다.

그냥 당신의 삶을 살아가다
그 사람이 도움을 청할 때 도와주세요.

그 외는 무신경해질 만큼 거리를 두고
당신의 삶을 살아가야
당신의 삶에 해야 할 일과 즐거울 수 있는 일
하고 싶은 일들을 집중하며 살아갈 수 있습니다.

일일이 신경 쓰면서
그 사람의 기분을 우울할 때마다
좋게 해주려 하지 마세요.
그럼 당신이 너무 지쳐 상대가 점점 미워집니다.

만약 내가 감정 기복이 심한 사람이라면
고쳐야 합니다.
누군가 내 기분을 이해해 주길 바라는 건 욕심입니다.

내 기분을 한 번만 이해해 주면 되는 게 아니라
계속 이해해 줘야 하니까요.
그럼 가까이 있는 사람은
자신의 삶을 평온하게 살아가기 힘듭니다.

잘 참는 사람

잘 참는 사람이 있습니다.
자신이 조금만 참으면
모든 게 좋아질 거라 생각해서입니다.

그래서 힘든 순간 순간을 참고 또 참으며 넘어가지만
어느 순간 아주 작은 일도 참는 것이 어려워집니다.

참아야 하는 건 아는데
참는 게 더는 어려워 힘듭니다.
그런 자신을 자책하고 또 참아보지만
결국 화가 폭발하고 맙니다.

그럼 옆에 있는 상대방은 놀랍니다.

"아니... 이게 그럴 일이야?"

그러나 화가 폭발한 건 이번 일 하나로 그런 것이 아니라

상대가 계속 마음을 불편하게 하자
자신이 존중받지 못한다는 생각에
참다 참다 화가 난 것입니다.
그러나 정작 화를 내고도
화를 낸 것에 대한 자책으로 힘들어합니다.

화는 참으면 참을수록 커집니다.
그런데도 계속 화를 참게 되는 이유는
내가 지금까지 누군가를 위해
희생하는 것에 익숙해졌기 때문입니다.
상처가 되는 상황을
참고 넘기는 것이 익숙해졌기 때문입니다.

그렇다고 참지 않고 계속 화를 낼 수는 없지만
계속 이런 일이 반복된다면
나는 선을 그을 줄 알아야 합니다.
내가 상처받는 마음의 만큼은 선을 긋고

상대가 그 선을 넘지 못하도록 해야 합니다.
그러기 위해서는 불편한 상황이 되면 "괜찮아."가 아닌
불편함을 표현할 수 있는
작은 표현 하나쯤은 꼭 가지고 있어야 합니다.
그래야 화가 나는 상황이 계속 쌓이는 것도
뒤돌아서서 마음이 상한 일을 계속 생각하는 것도
줄일 수 있습니다.

상대가 나에게 상처 되는 말과 행동으로
선을 넘는 것 같을 때 불편한 상황에서 말할 수 있는
작은 표현 하나를 마음에 적어 두세요.

무언가를 잃는 게 두려워
계속 참기만 한다면
상대는 내 기분 나쁜 마음의 선을 넘는 게 당연해지고
나는 계속해서 아프고 힘들며
삶에서 더 많은 것을 잃게 될 수 있습니다.

•

너무 조급해하지 마세요.

당신의 속도로 계속 가다 보면

당신이 보고 싶고 만나고 싶은 것을

하나씩 만나게 될 거예요.

•

사람들이 당신에게 어떤 말을 하든
당신은 당신답게 살아가도 됩니다.
당신답게 살아가기 위해
당신의 인생을 살아가는 것이기에.

•

올해는
좋은 사람이 되려고 하지 말고
당신이 되고 싶은 사람이 되세요.

•

마음이 예쁜지 아닌지 알 수 있는 방법은
상대방의 말을 계속 들어보는 것입니다.
그 사람의 말이 얼마나 예쁜지가
곧 그 사람의 마음이 됩니다.

•

가장 큰 시간 낭비

아닌 일을 계속하는 것
아닌 사람을 계속 만나는 것
아닌 길을 계속 가는 것

다른 사람이 나를 '어떻게 생각할까' 때문에.

•

무례함은 두 가지다.

상대의 마음은 생각하지 않고 말하는 것과

상대의 배려를 쉽게 생각하고 얕보고 행동하는 것.

•

생각이 많은 이유

내가 잘하고 있다는 확신이 없을 때
오랫동안 고민하느라 한 걸음도 나아가지 못할 때
재미가 없을 때
많은 사람이 미울 때

•

내 행동이 맞을까 틀릴까
너무 많이 고민하지 마세요.

내가 마음이 좋았으면 된 거고
행동하고 나서 내 마음이 불편했으면
다음에 그렇게 하지 않으면 됩니다.

그럼 그걸로 끝입니다.
더 생각하지 않아도 됩니다.

어두운 감정이 찾아온 당신께

우울하고 공허하며 외롭고
무기력하며 마음이 지쳤고
선택해야 하는데 선택을 못 해 괴롭다면

어릴 적 짝사랑했던 사람이 있었습니다.
저에게 과분한 사람이라 생각해
바라만 봐도 좋았습니다.

그리고 기다림 끝에
어렵게 용기 내서 고백했고
만나게 되었습니다.

그러나 1년이 지나 알고 보니
그 사람은 저를 만나면서
여러 명의 남자를 동시에 만났습니다.

그 사실을 알았을 때

제 감정은 우울하고 공허하고 외롭고
무기력하며 마음이 지쳤고
그다음은 어떻게 해야 할지
어떤 선택을 해나가면 좋을지 선택을 못 해
고민에 빠졌습니다.

여기서 제가 이런 부정적인 감정이 든 게
잘못된 것이고 문제일까요?
아니면 그럴 수 있는 걸까요?

문제가 아닙니다. 그럴 수 있는 것입니다.

지금 당신이 우울하거나 공허하거나 외롭거나
무기력하거나 마음이 지쳤거나
또는 선택을 못 해 고민하고 있다면

당신은 원치 않게 그럴만한 상황을 만났기 때문입니다.

상담소에 많은 분이 찾아옵니다.
우울하면 안 되는데... 우울하다고.
항상 열정적이어야 하는데
의욕이 나지 않아 큰 고민이라고.
항상 밝아야 하는데 밝지 못해 고민이라고.
선택해야 하는데 선택을 못 해 큰 문제라고.

이야기를 들어보면
모두 충분히 그럴만한 상황입니다.
저였더라도 같은 상황이라면
충분히 같은 감정을 느꼈을 것 같다는 생각이 듭니다.

지금 힘들다면 어쩌면 정말 힘든 이유는

내가 우울한 일을 만나도 우울하면 안 되고
공허하고 외로울 수 있는 상황을 만나도
공허하고 외로워도 안 되고

노력해 온 일이 잘 안 돼서 무기력할 수 있는 상황에서도
무기력해도 안 되고
지친 상황에서 마음이 지쳐도 안 되고
선택을 하기 어려운 상황을 만나도
선택을 어려워하면 안 된다고 생각하기 때문입니다.

항상 밝아야 하고 항상 선택을 잘하고
항상 지치면 안 되고 항상 열정적이어야 한다고 생각해

어두운 감정이 찾아온 지금 나를 큰 문제라 생각해
당장 벗어나려고 하지만
벗어나지 못하자 괴로운 것일 수 있습니다.
어두운 감정에서 벗어나지 못하는 자신을
문제인 사람처럼 생각하느라...

모든 감정에는 낮과 밤이 있습니다.
밝고 기분 좋은 힘이 나는 낮의 감정도 있지만

어두운 일이 찾아오면 감정은 어두운 밤이 되기도 합니다.

진짜 문제는 지금 감정은 어두운 밤일 수밖에 없는데
낮처럼 환해야 한다고 생각하니
어두운 감정의 시간이 훨씬 더 힘들게 느껴지고
당장 밝아질 수 없으니 어두운 감정을 갖게 된 것이
큰 문제라고 생각되는 것입니다.

그럴 때는 우울한 내가
의욕이 없는 내가
지친 내가
선택을 잘못하고 있는 내가
문제라 생각하지 말고 힘든 상황을 만나
지금은 감정이 밤일 수밖에 없구나라고 생각해 보세요.

지금 감정에서 좋아질 수 있는 할 수 있는 만큼만 노력하며 시간이 지나 저는 이별의 시간을 지나오게 되었습니다.
딱히 어떤 방법으로 괜찮아진 건지 사실 잘 모르겠습니다.
어느새 밤이 가고 낮의 감정으로 돌아와 있었습니다.

저를 그렇게 힘들게 했던
이별의 시간은 지나가 있었습니다.

바람이 불면 나뭇가지는 흔들립니다.
흔들리는 건 문제가 아니라 자연스럽고 당연한 것입니다.
그러나 흔들리는 것이 문제라 생각하면
흔들리는 내내 괴로울 수밖에 없습니다.

어쩔 수 없는 힘듦이 내게 바람처럼 불어왔다며
지금은 흔들리고 불안할 수밖에 없습니다.
당연하고 자연스러운 것입니다.

다만 세상에 멈춰 있는 바람은 없고

모든 바람이 결국 지나가듯이
나를 찾아온 괴로운 바람도 지나가게 될 겁니다.

그리고 웃을 수 있는 새로운
희망의 바람이 내게 불어올 겁니다.

누구에게나 아름다운 봄이 찾아옵니다.

무언가를 잘하는 방법

9월에 쓴 책 <지쳤거나 좋아하는 게 없거나>가
종합 1위에 오르는 기적을 만들어 냈습니다.

기적이라고밖에 표현할 방법이 없는 일입니다.

저는 글을 전공한 사람도 아니고
방송에 나오거나 좋은 학력을 가지고 있어
대중들에게 높은 인지도가 있지도 않습니다.
출판업 쪽으로 발이 넓어 아는 사람이 많아
홍보를 잘하고 마케팅을 잘하는 것도 아닙니다.

제가 할 수 있는 건
상담을 통해 사람들이 무엇이 힘든지 알고
힘듦에서 나아지기 위해
무엇이 필요한지 고민한 뒤 글로 적는 것이었습니다.

그리고 시간이 지나

글로 도움을 받거나 힘을 얻었다는 사람들이 늘어나면서
제 글을 찾는 사람들이 많아졌고
덕분에 책이 종합 1위에 오를 수 있었습니다.

최근에 강연에서 누군가가 저에게 이렇게 질문했습니다.

"작가님, 글을 잘 쓰려면 어떻게 해야 하나요?
많은 사람에게 읽히는 책을 쓰려면 어떻게 해야 하나요?
베스트셀러가 되려면 어떻게 해야 하나요?"

순간 여러 질문 속에서
마땅히 할 말이 떠오르지 않아 곤욕을 치렀습니다.

왜냐면 저는 한 번도 글을 잘 쓰는 기술이나
방법을 생각해본 적이 없기 때문입니다.

그래서 그날 처음으로 생각해보았습니다.

부끄러운 얘기지만 사실 저는 지금까지
쓴 모든 책이 베스트셀러가 되었습니다.

스스로 글을 잘 쓴다고는 전혀 생각하지 않지만
어떻게 이 일로 사람들이 인정할 만한 성과를 낼 수 있었을까
생각해 보았습니다.

우선 책을 쓰기로 마음먹고
처음 책을 쓸 때는
어떻게 써야 할지 몰라 막막하고
전혀 생각이 떠오르지 않습니다.

그럼 그 뒤부터
아침 점심 저녁 모든 시간을 항상 고민합니다.
어떤 글을 쓰면 좋을지
어떻게 쓰면 좋을지

그리고 고민한 내용을 써 보고
마음에 들지 않으면 수정하고
다시 고민하고 쓰고 수정하고를 계속 반복합니다.
잠을 자는 시간과 밥을 먹는 시간을 제외하고
하루의 모든 시간을
고민하고 쓰고 수정하는 데 시간을 씁니다.
핸드폰도 끄고 외부와도 차단하고
아무도 만나지 않고
다른 생각은 아무것도 하지 않고
몇 개월이든 계속 이런 시간을 반복합니다.

주위에서 사람이 저렇게까지 해도 될까 싶을 정도로
이 시간에 집중합니다.

단 하나의 생각만 계속 반복합니다.
단 하나의 생각에만 집중합니다.

보통의 각오로는 이 시간을 보내는 게 어렵다는 걸 알기에
모든 걸 겁니다.
그런 각오로 합니다.

그렇게 시간을 계속 반복하다 보면
계속 반복하다 보면
계속 반복하다 보면

아주 조금씩 복잡했던 생각의 실타래가 풀리고
내용이 서서히 정리되고 답을 찾아갑니다.

이렇게 고민하고 쓰고 수정하고
시행착오가 가득한 시간을 보내고 나면
내가 보기에도 좋으면서
사람들도 공감해 주는 글이 만들어집니다.

누군가가 저에게 이렇게 말합니다.

꼭 글이 아니어도 그렇게 한다면
뭘 해도 잘하게 될 수밖에 없을 것 같다고

동감합니다.

글쓰기든 그게 무엇이든 무언가를 잘하기 위한 방법은
모든 시간을 집중해 고민하고 실행해보고 수정하며
수많은 시행착오를 겪어나가는 것만이
유일하다고 생각합니다.

물론 어렵습니다.
그러나 어려워도 하는 것입니다.
잘하기를 원한다면
무언가를 잘하기 위한 방법에
요행이 있다고 생각하지 않습니다.
모든 시간을 쏟고 잘하기 위한 각오가 되었는가가
무언가를 잘하고 싶다면 시작 전 스스로 꼭 물어봐야 할 질문이라 생각합니다.

누가 봐도 잘할 수밖에 없는 이유를 만드는 것

삶은 글쓰기와 많이 비슷합니다.
수많은 시행착오를 겪어야지만
원하는 문장을 쓸 수 있는 것처럼
수많은 시행착오를 겪어낸 사람만이
원하는 모습을 만들어 갈 수 있다고 생각합니다.

그러니 무언가를 잘하고 싶었고
충분히 각오한 뒤에도
잘하지 못했고
원하는 모습이 아니었다고 해도
너무 오래 실망하고 좌절하지 마세요.

시행착오였을 뿐이니까요.

앞으로 더 잘하기 위한

정말 잘하고 싶다면
마음이 무너지지 않게
단단하게 잡으세요.

계속 작은 실수에 연연하지 마세요.

시도를 멈추지 않고
시행착오를 겪어나가세요.

당신의 진짜 시작은 언제나
당신이 진짜 마음먹은
지금부터가 진짜 시작입니다.

열심히 해야 할 때

해야 하는 건 아는데 힘들면 안 하고
하기 싫으면 안 하고
그러면서 생각만 하고 걱정만 하고 있다면

지금은 조금 여유가 있기 때문입니다.

지금 당장은 그렇게까지 열심히 하지 않아도 될
상황적 여유가 있기 때문입니다.

그러나 계속 그렇게 살아가게 된다면
자신을 발전시키지 않고
스스로 노력을 투자하지 않는다면

결국 미래에는 정말 아무 여유가 없고
지금보다 훨씬 경제적으로 어려우며

다른 사람들은 여유가 있어서 할 수 있는 것을
나만 못하게 되고
아무것도 할 수 있는 게 없는 사람이 될지 모릅니다.

정신 차리지 않으면
지금 당장 각오하지 않으면
시간은 계속 흐르고 아무것도 변하는 건 없습니다.

꿈을 이루기 위해서는

생각보다 훨씬 더 열심히 해야 한다

나 자신과 싸움에서 이겨야 한다

하나의 목표에 내 전부를 걸어야 한다

시작했다면 간절함과 끈기가 필요하다

•

힘들면 쉬었다 하고

잘 안되면 다시 하면 됩니다.

스스로에게 물어볼 건

계속하고 싶냐입니다.

•

정말 열심히 살다가

원하는 것을 이루고 여행 한 번 다녀오세요.

그때까지 정말 열심히 한 번 해보세요.

나도 할 수 있습니다.

•

용기 있는 세 가지 선택

두려워도 해보는 것

변할 수 있다고 믿는 것

스스로가 자신을 끝까지 믿어주는 것

•

정말 대단한 사람은
다툼이 생기면 자신의 문제를
먼저 돌아보는 사람입니다.

정말 멋진 사람은
자신의 지금의 모습에 기죽지 않고
원하는 꿈을 만들어 가는 사람입니다.

•

인생을 만들어 가는 중이다

늘 새롭게 시작해도 된다

늘 새롭게 도전해도 된다

늘 새로운 마음으로 살아가도 된다

•

원하는 직장에 가지 못했다 해도

좋아했던 일을 어렵게 시작했지만
막상 해보니 별로였다 해도

연인과 헤어졌다 해도

원하는 결과를 얻지 못해
삶의 시간을 낭비한 것 같다 해도

자신을 실패자처럼 생각하며 기죽을 필요 없습니다.
실패자가 아니라 경험자입니다.
여러 가지 경험을 통해 다음에 당신은
지금보다 조금 더 잘하게 될 테니까요.

많은 경험만이 당신의 부족한 부분을 깨닫게 해주고
채워나갈 수 있게 도와주며 당신을 더 멋지게 성장 시켜 줍니다.

용기

나답게 살아가기 위해서는
굉장한 용기가 필요합니다.

좋아하는 게 없어
삶이 공허하고 재미없게 느껴진다면
좋아하는 것을 시도하거나 찾아볼 용기

관계에서 하고 싶은 말을 못 해 힘들었다면
하고 싶은 말을 할 수 있는 용기

지금 멀리 떠나고 싶다면
모든 일을 미뤄두고 한 번쯤 떠나 볼 용기

나답게 살아가기 위해서는 '이렇게 해볼걸'이라고 생각하고
하지 못해 불편함을 느꼈던 일을 해보는 것입니다.

그러나 우리의 진짜 고민은

나답게 살아야 한다는 걸 몰라서가 아니라
나답게 살기가 어려운 게 진짜 고민입니다.

어려운 이유는 나답게 살기 위해서는
굉장히 많은 용기가 필요하기 때문입니다.

그래서 우리는 몇 번이나
마음속으로 하고 싶은 말을 하지 못하고 되뇌고
몇 번이나 하고 싶은 일 앞에서
할까 말까 망설이다 하지 못하고 돌아서게 됩니다.

그러다 보면 나다움을 감추는 게
내가 좋아하는 걸 안 하는 게 오히려 편할지도 모릅니다.

그래서 나다움을 점점 잃어가게 됩니다.

나는 무엇을 좋아하는지.

나는 무엇을 하고 싶었는지.
나는 어떤 선택을 해야 좋은지.

나다움을 잃어버릴수록
삶이 어렵게 느껴지는 이유는

내가 조금 더 참으면
내가 조금 더 희생하면
내가 조금 더 열심히 하면

앞으로 행복할 거라고 생각해
나다움을 감추며 희생하며 참고 살았는데도
지금 삶이 만족스럽지 못하거나 행복하지 않으니

힘이 빠지고 앞으로 어떻게 살아야 할지 몰라
삶이 어렵게 느껴집니다.

나답다는 건 내 호흡으로 숨을 쉬는 것과 같습니다.
내 호흡으로 숨을 쉴 때 편안합니다.

그동안 타인의 호흡만을 신경 쓰고 맞춰 주며 살아왔다면
그래서 숨을 너무 오래 참았다면

내가 편한 모습으로 말하고
내가 편한 모습으로 전화를 받고
내가 편한 모습으로 선택하고
내가 편한 모습으로 하루를 살아 보세요.

그게 내 호흡이고 그게 나다운 것입니다.

한 번이라도
나도 편하게 숨을 쉴 수 있게 용기 내봐요.

봄이

아는 지인이 10년간 봄이라는 반려견을 키웠습니다.
워낙 봄이를 좋아해 항상 데리고 다녔습니다.

작은 시골 동네에 살았는데
가게에 들어가기 전에
잠깐씩 봄이를 묶어두고 다녀오면
어딜 갔다가 오는 걸 아는지
봄이는 짖지도 않고
그 자리에서 얌전히 눈만 말똥말똥 뜨고
기다린다고 했습니다.

일을 마치고 지친 몸으로 퇴근하고 오거나
밖에서 안 좋은 일로 속상한 채 들어오면
봄이는 항상 집 앞까지 나와 기다린다고 했습니다.

그 모습에 속상한 일도
지친 마음도 녹을 때가 많다고 했습니다.

그러던 어느 날 지인이 교통사고를 크게 당했습니다.
그래서 봄이를 더 이상 기를 수 없게 되었고
급하게 입양을 보내야 했습니다.
하필 그날이 봄이의 생일이었다고 합니다.

입양 보내는 날
봄이의 눈을 보고 이렇게 말했다고 합니다.

"봄이야. 그동안 항상 기다려줘서 고마워.
네 덕분에 돌아오는 길이 쓸쓸하고 외롭지 않았어.
그런데 이제는 기다려도 못 돌아올 것 같아.

미안해. 봄이야.
이제는 나 기다리지 말고 행복하게 잘 살아.
사랑해."

우리는 살면서
사랑하는 이를 기다리지만
기다림은 슬픈 일이 아닙니다.

사랑하는 이를
더 이상 기다릴 수 없다는 것이 슬픈 일입니다.

우리는 이것을
이별이라고 부릅니다.

우리는 결국
모든 것과 마지막에는 이별합니다.

우리의 시간은 영원하지 않기에
사랑했던 모든 것과 결국 이별하게 됩니다.

그래서 사랑하는 대상과의 만남은
더없이 소중한지 모릅니다.

만약 당신을 기다리는 누군가가 있다면
그 사람이 너무 오래 기다리지 않게
1분이라도 빨리 찾아가면 좋겠습니다.

더 자주 찾아가면 좋겠습니다.

바쁘더라도
중요한 일이 남았더라도

이별의 순간은 언제가 될지 모르기에

조금 더 자주 보고
조금 더 자주 얘기 나누고
조금 더 사랑한다고 말해주면

나중에 당신이 떠나게 돼도

남은 한 사람은
당신과의 많은 따뜻한 일을 추억하며
행복하게 잘 살아가게 될 거라 믿습니다.

봄이는 새로운 곳에서 행복하게 잘 지낸다고 합니다.

•

사람마다 좋아하는 것이 다르다.

그 '다름'을 존중해주며 대화하는 사람이
나와 잘 맞는 사람이다.

그 '다름'을 틀림으로 바라보며
대화하는 사람이 나와 안 맞는 사람이다.

•

잘 맞는 사람과 함께해야 인생이 즐겁다.

잘 맞지 않는 사람과
어떤 이유에서든 계속 함께할 이유는 없다.

잘 맞지 않는 사람과의 시간을 줄이고
잘 맞는 사람과의 시간을 늘려나갈수록

자존감도 행복감도 삶의 만족도도 높아진다.

때론 그냥 살아가세요

무엇이 되지 않아도 좋으니

때론 그냥 살아가세요

고민을 완벽히 해결하지 못해도 좋으니

때론 그냥 살아가세요

슬픔이 있어도 좋으니

때론 그냥 살아가세요

어떤 힘든 일 앞에서도

기죽지 말고

그냥 용기 있게 살아가세요

세상에 단 하나뿐인 당신을 위해

앞으로 당신에게는

힘든 시간이 많았던 만큼

기쁜 순간도 많았으면 좋겠습니다

이미 어쩔 수 없는 힘듦이 내게 찾아왔다면

1판 15쇄 발행 2024년 11월 26일
1판 1쇄 인쇄 2020년 3월 24일

지은이 글배우
펴낸이 김동혁
펴낸곳 강한별
책임편집 김동혁
디자인 임현지, 김정현
제작팀 김동혁
출판등록 2019년 8월 19일 제406-2019-000089호
주소 경기도 파주시 탄현면 헤이리마을길 21-7 3층
이메일 wjddud0987@naver.com
대표전화 010-7566-1768

ⓒ 글배우 2020
ISBN 979-11-967977-2-0

• 책값은 뒤표지에 있습니다.
• 이 책 내용의 일부 또는 전부를 재사용하려면 반드시 저작권자와 강한별의 동의를 얻어야 합니다.
• 잘못 만들어진 책은 구입하신 서점에서 교환해드립니다.